Avec un vieux navire,
Fleur de Lampaul, *et un équipage d'enfants et d'adolescents,*
nous partons à la recherche des plus gros mammifères
marins que la Terre ait jamais portés :
baleines, globicéphales, rorquals, dauphins et autres cétacés.
Deux expéditions, l'une de six mois, l'autre de quatre mois,
nous ont offert ces instants d'émotions
intenses que nous allons essayer
de vous faire partager.

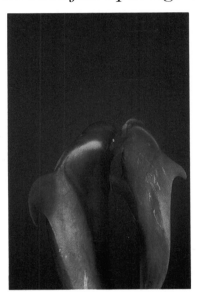

LES
ENFANTS
DAUPHINS

CHARLES HERVE-GRUYER ● GALLIMARD

Sommaire

A la recherche de Moby Dick

Rêve d'îles

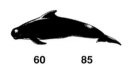

Voyage au pays des baleines

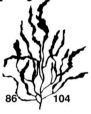

Les enfants dauphins

Témoignages et documents

Conception graphique : Alain Marionnet et Christophe Chantebel

Tous droits de traduction
et d'adaptation réservés pour tous pays
© Éditions Gallimard 1990
Dépôt légal : juin 1990
Numéro d'édition : 49811
ISBN : 2-07-056536-X
Imprimé en Italie

L'aventure est un livre aux multiples chapitres dont *Fleur de Lampaul* écrit l'un des plus beaux : celui de l'aventure utile. Il l'écrit en sillages sur le dos de la mer, en émerveillements d'enfants, en retrouvailles de paradis perdus où des cétacés pacifiques apprivoisent les plongeurs, à moins que cela ne soit le contraire...

Pour l'aventure, rien ne manque : les tempêtes sont au rendez-vous et le soleil aussi, les îles sont désertes, et le trésor caché attend qu'on le découvre.

Quant à l'utile, quelle plus belle mission pouvait se donner un bateau comme *Fleur de Lampaul* : être à la fois une école sur la mer et un centre d'études des mammifères marins. Ajoutez-y l'ambition qui anime cet album et qui rejoint le rêve profond d'*Ushuaïa* : étonner quelquefois, émerveiller toujours, élargir un peu plus l'étendue du possible et ajouter quelques images inoubliables à l'inventaire de ce meilleur des mondes où nous vivons : la planète Terre.

Pour toutes ces raisons, nous avons décerné, quelques amis et moi, le « Victor de l'Aventure utile » à *Fleur de Lampaul*, il y a de cela quelques années. Et dans le même esprit, la Fondation *Ushuaïa*, dont la vocation est d'apprendre aux jeunes à découvrir les beautés de la nature, a parrainé cette très belle odyssée.

Cet album vient simplement confirmer à quel point nous avions raison.

Nicolas Hulot

A la recherche de Moby Dick

Un corps fuselé crève la surface de l'océan;
une tête ronde et luisante apparaît et, de ses petits yeux,
fixe Fleur de Lampaul. *C'est un globicéphale.*
À ses côtés, un deuxième le rejoint et se dresse, puis un autre encore.
Les enfants, groupés à l'étrave, éclatent en cris de joie. «Ils nous regardent!
Un autre! 5, 6, 7, 8!» Les globicéphales se dressent sur leur queue,
à tour de rôle. «Encore! 12, 13, 14...»
Leur corps est d'un beau noir luisant, sauf leur ventre, blanc immaculé.
Un élégant smoking! «25, 26, 27, 28!»

Nedjma, dans l'eau à quelques mètres d'eux, les voit monter et descendre comme des bouchons. On se demande qui observe l'autre. «... 44, 45...» L'excitation est à son comble. Cette façon de sortir la tête hors de l'eau pour observer ce qui se passe à la surface est bien connue; les scientifiques l'appellent *spy hoping*. Mais jamais nous n'avons vu les globicéphales manifester une telle curiosité. «... 55, 56, 57, 58. C'est complètement fou : ils sont sortis de l'eau 58 fois d'affilée!»
Ce 5 Mai 1990, à 100 milles au large de l'île d'Yeu, la fête est complète. Un grand calme règne sur le golfe de Gascogne et, à perte de vue, la surface

Candidats au grand départ, ces garçons et ces filles découvrent leur nouvelle salle de classe : *Fleur de Lampaul,* **un navire de cent tonnes, qu'il faut préparer et armer pour une longue campagne au large.**

La grande aventure commence parmi les pots de goudron et de peinture, balayés par les premières tempêtes d'hiver.

Enfants des villes, les voici à l'école de la marine en bois.

Ici, pas de profs, mais c'est la mer qui dicte sa loi. Magnifique, mais terriblement exigeante...

des eaux est brisée par le jaillissement des cétacés. Globicéphales et dauphins nous offrent un grand spectacle. À bord de *Fleur de Lampaul* règne une joie indicible. Quel feu d'artifice, pour ce dernier jour de l'expédition!
En fin de matinée, notre position nous plaçait en bordure du plateau continental et nous avions renforcé la veille, car il est rare de ne pas faire d'heureuses rencontres, en ces parages qu'affectionnent les cétacés. (La remontée des eaux profondes, plus froides, y crée une grande concentration de vie marine.) Peu après, Anne criait depuis la mâture : «Globicéphales!»

«Ce n'est pas une croisière tout confort.
Nous participons tous aux travaux liés à la vie à bord.
Embarquement immédiat, cap au sud ouest.»
Gaelle

Avec ses trente mètres de long, *Fleur de Lampaul*
est un ancien voilier de travail, l'un des derniers grands voiliers français, classé monument historique.
Mais le travail est à la mesure du navire. 20 000 heures de dur labeur ont été nécessaires pour lui rendre la vie.
Avant chaque grand départ, il faut caréner et réviser le navire.

Les mousses découvrent les dessous de l'affaire : des centaines de mètres carrés de coque à caréner...

Il faut brûler la peinture pour mettre à nu les bordés de chêne, calfater là où c'est nécessaire.

Le goudron brûle la peau et les yeux. Elle paraît loin, la mer... C'est donc cela, l'aventure tant rêvée?

Pour gagner le grand large, il faut aussi nettoyer les fonds de cale.

Le grand départ, enfin! Entre deux dépressions, *Fleur de Lampaul* taille puissamment sa route vers le Sud.
Les enfants découvrent la houle du large, le vol des fous de Bassan, le rythme des quarts, les premiers dauphins...

Et le mal de mer !
Sentiment mitigé : joie d'avoir largué les amarres, et crainte devant l'inconnu.

La tempête est là. La peur aussi. Durant deux jours et deux nuits, le pont est noyé sous les déferlantes.

Nous commençions à bien connaître ces cétacés, longs de 6 mètres, petits cousins des cachalots, alors que les tentatives d'approche se sont toujours avérées décevantes. Ils faisaient route vers le sud-est à 4 nœuds et évitaient le bateau. Nous persévérerons quatre heures durant, malgré la tentation d'abandonner et de remettre le cap vers l'île d'Yeu. Enfin, vers 16 heures, la ténacité de l'équipage fut récompensée. Les dauphins arrivèrent, en bonds joyeux : des Tursiops truncatus; nous constatons, une fois de plus, que lorsque différentes espèces de cétacés s'associent, leur comportement change. Les globicéphales cessent de faire route, et, comme gagnés par la bonne humeur des dauphins, viennent vers nous. Pendant deux heures durant, les cétacés se succèdent à l'étrave. C'est un spectacle extraordinaire. Les dauphins font des bonds superbes. Les enfants se suspendent à la sous-barbe (la chaîne qui retient le bout-dehors), et se laissent traîner dans l'eau. Les dauphins viennent les observer, les regards se croisent, un ballet tendre et complice naît entre deux mondes, celui des enfants et celui des cétacés. Les globicéphales s'approchent, plus tranquilles. Débonnaires, ils soufflent à nos côtés. Solen, dix ans, se jette même sur le dos de l'un d'eux! C'est alors qu'ils sortent la tête 58 fois hors de l'eau. Nos moussaillons s'équipent – palmes, masques, tubas– et plongent. Les cétacés les regardent et se mettent sur le dos pour mieux les observer. Ils ne manifestent aucune crainte. De notre côté cependant, une certaine appréhension nous empêche de les caresser. Ces mammifères, qui pèsent le poids d'un éléphant, sont impressionnants!
C'est le point d'orgue d'une belle aventure, la plus forte rencontre que nous ayons vécue avec les mammifères marins, nos mystérieux cou-

C'est dur de s'arracher à sa couchette et d'enfiler un ciré trempé pour monter prendre son quart, quand le mal de mer vous empêche d'avaler quoi que ce soit.

Mais il faut bien continuer à barrer, réduire la voilure et border les écoutes quand le bateau le demande.

C'est le métier de marin qui rentre. *Fleur de Lampaul* luttant bravement contre les vagues est un spectacle formidable : ça remonte le moral!

On se jure néanmoins de quitter cette galère à la première escale.

sins aquatiques. Lors de nos deux expéditions, nous avons fait 106 observations de cétacés, de 12 espèces différentes. Nous étions partis totalement néophytes. Notre but était d'essayer d'entrer en contact avec eux. Oh! bien modestement! Nous n'envisagions pas de déchiffrer leur langage énigmatique, ni même de les chevaucher comme de vivantes torpilles sous-marines... Nous étions seulement désireux d'harmonie. Harmonie entre nous, à bord, et avec notre environnement. À l'heure où l'homme moderne piétine la planète, nous rêvions de rapports plus respectueux, et plus confiants. Nous pressentions que les dauphins avaient quelque chose à nous apprendre, ne serait-ce que leur sourire! La mer a été dure mais généreuse. Nous avons eu la chance de nager aux côtés des orques, des globicéphales noirs et tropicaux, des cachalots et de trois espèces de dauphins. Nous nous sommes émerveillés du souffle puissant des rorquals. Nous avons plongé au cœur du mystère de la vie, pendant l'accouchement en pleine mer d'une maman globicéphale. Nous avons tenté de devenir un peu dauphins nous-mêmes et assurément nous somme rentrés changés. Amoureux, c'est cette passion pour notre planète océan que nous voudrions vous faire partager. Les mots et les images en sont un bon reflet, mais, si le plaisir est grand de raconter ces souvenirs nous courons le risque de travestir notre aventure. Trop de soleil, trop de ciel bleu peuvent en effet en occulter les difficultés. Les photos taisent l'autre versant de la réalité : les années de préparatifs, la restauration de *Fleur de Lampaul* –un gigantesque chantier–, les tempêtes, les conflits, le manque de moyens. Certes, les enfants de *Fleur de Lampaul* sont conscients de la chance qu'ils ont eue.

«Le vent souffle, la mer est houleuse, les vagues balaient le pont.
Nous sommes à l'avant de la Fleur, *où nous éviterons difficilement*
les gros paquets de mer. Éviter la vague d'étrave devient un jeu.»
Solen

Le soleil réapparaît et la mer peu à peu se calme. Enfin.
On se sent revivre ! En bas, tout a été trempé par les fuites du pont. Matelas, couettes, vêtements sont mis à sécher.L'équipage
aussi. Fleur de Lampaul ressemble maintenant à un bateau-lavoir, en plein Atlantique !
La joie est revenue à bord, les fringales se réveillent et les mousses font des festins de frites et de crêpes.

Quelle fierté, quand on a dix ans et qu'on pèse 29 kg de barrer un voilier de 100 tonnes, cap vers les îles du Sud!

Mais les minutes de bonheur en compagnie des cétacés, l'harmonie fragile entre membres de l'équipage, ils les ont chèrement acquises. La récompense est à la mesure des difficultés. Ce projet, la mer, la vie à douze, des mois durant sur un voilier, requièrent une grande exigence. L'enrichissement est à la mesure du prix qu'il faut en payer. Embarquons

L'équipage? Des garçons, des filles âgés de dix à dix-sept ans. Ils viennent de toute la France. Certains sont des jeunes que la vie a déjà bien malmenés. D'autres seraient plutôt de bons élèves, trop curieux du monde pour passer toute leur adolescence entre les quatre murs d'une salle de classe. Avec eux, quatre adultes à peine plus âgés. Moyenne d'âge du bord : dix-huit ans !

Il y eut deux expéditions. L' itinéraire fut sensiblement le même; la seconde, plus courte, permettant d'approfondir les découvertes de la première. Au total, treize mousses et six adultes pour ces aventures.

Le principal personnage : *Fleur de Lampaul*! Elle ne passe pourtant pas inaperçue, avec ses 30 mètres de long, ses 270 m² de voilure et ses 100 tonnes de déplacement! Ce superbe dundee est une belle galère. Belle, car nous tombons tous amoureux de cette vieille dame qui a tant d'histoires à raconter. Ce n'est pas banal, pour l'un des derniers caboteurs à voiles d'Europe, de voir succéder aux marins bretons un équipage d'enfants et de partir dans le sud traîner sa quille au milieu des cétacés. Et galère, car ce fier navire, classé monument historique, ne nous laisse guère de répit, entre la restauration, l'entretien et les manœuvres. *Fleur de Lampaul* nous porte et nous abrite. À la fois moyen de locomotion, base d'étude, atelier, elle est notre maison et sa coque de chêne n'est pas sans ressembler au

Les quarts se prennent par équipes de quatre.

Il faut faire le point, les manœuvres, surveiller le moteur et préparer les repas. Ce qui n'est pas le plus facile!

ventre d'une gigantesque baleine, dont nous serions les petits Jonas avalés!

Une expédition, c'est plus d'une année de travaux, de démarches et de recherche de financements. Les enfants ne participèrent qu'à la phase finale des préparatifs, au milieu des tempêtes d'arrière-saison. C'est la difficile période où l'équipage se découvre, se heurte et mesure, non sans découragement, la différence qu'il y a entre le rêve et la réalité. Les enfants venaient pour nager au milieu des dauphins. Ils se retrouvent plongés à fond de cale, dans l'eau trouble des puisards, ou noyés dans les pots de goudron. Ils rêvaient d'harmonie et se font parfois taper dessus par un voisin de couchette irascible. Tais-toi et rame...

Aussi, le jour du grand départ apparaît comme une véritable libération. Joie de quitter la France mêlée à la peur devant l'inconnu : le large, ses grosses vagues et ses tempêtes... Malgré le mal de mer, le froid, l'humidité et la trouille (ce n'est pas rien de traverser le golfe de Gascogne en octobre ou en février!), les matelots en herbe découvrent qu'il faut prendre son quart, que la nuit on ne jette pas l'ancre, qu'il faut faire à manger pour 12 et la vaisselle en plus, même si la mer est grosse. Et dire que Papa et Maman ne sont même pas là pour le faire!

Passé le cap Finisterre, de sinistre réputation, *Fleur de Lampaul* met le cap au sud et longe les côtes portugaises. Le sillage s'allonge et le soleil devient chaque jour plus chaud. Les dauphins sont des compagnons quotidiens. Les mousses s'amarinent et les sourires refleurissent. Au large de toute terre, notre voilier emporte sa cargaison d'humanité, un petit monde en miniature, des garçons et des filles qui ne s'étaient jamais vus et qui vont passer près d'une année ensemble à chevaucher la mer.

Au fil des jours, l'équipage se soude, des amitiés se créent. Maogan et Solen sont devenus inséparables.

A bord, nous sommes tous embarqués dans une même aventure, qu'il faut réussir ensemble.

Le sillage s'allonge. Le soleil chauffe chaque jour un peu plus. Des poissons inconnus mordent aux lignes de traîne.

Un poisson volant a atterri sur le pont! Parfois il décolle sur les vagues comme une comète argentée.

Deux thons blancs ont mordu aux lignes : une semaine de nourriture pour tout l'équipage en perspective!

**Quand on vit dans la nature,
il faut savoir y chercher
ses repas.**

**Le poisson volant, lui,
sera rejeté**

**Ces délicieuses cigales de mer,
attrapées en plongée,
feront un festin pour ce soir.**

Voyager, cela donne envie de se plonger dans les livres pour y chercher les informations qui nous manquent.

Les baleines, cela devient une obsession : Moby Dick nous poursuit même dans les moments les plus intimes!

*« La vie en mer est bien différente : l'absence de douche
lors des escales nous pousse à trouver des solutions
pour le moins originales. »*
Géraldine

Fleur de Lampaul, c'est notre maison. Elle n'est pas confortable, et pourtant tellement séduisante ! Préparer son bain sur le pont,
même si c'est à l'eau de mer froide, cela a son charme, non ? A bord, les tâches quotidiennes sont partagées entre tous,
quel que soit l'âge : faire les courses, les repas, la vaisselle, laver le pont et ranger le bateau...

Rêve d'îles

« Terre ! »
Une cavalcade de pieds bottés
et de pieds nus retentit. Les mousses se pressent à l'étrave,
escaladent le bout-dehors, grimpent dans
les haubans. Les matelots de quart sont emmitouflés
dans leurs cirés, les autres émergent
de leurs couchettes, ébouriffés.
– C'est pas Madère, c'est un nuage.
– Mais si, c'est le sommet de la montagne.

Au creux des houles, une tache bleutée grandit à l'horizon. Bientôt, plus de doute : c'est l'île! Alors la joie explose, le mal de mer est oublié, on se congratule! C'est toujours un petit miracle, une satisfaction profonde de faire monter devant l'étrave une île, perdue dans l'immense étendue d'eau. Mais il faut toute la journée pour s'en rapprocher, doucement.

À la tombée de la nuit, le phare s'allume. *Fleur de Lampaul* se glisse à l'abri de la terre, et, pour la première fois depuis des jours, le bateau s'apaise; la côte l'abrite de l'alizé puissant. C'est maintenant une brise tiède chargée de parfums qui caresse

Jamais le vieux caboteur breton n'était descendu aussi loin dans le Sud.

La carène glisse maintenant dans des eaux claires et chaudes.

Des îles montent devant l'étrave, avec des ports inconnus et des baies désertes où jeter l'ancre, des montagnes à escalader, des civilisations à rencontrer.

Invitation à la découverte.

Notre salle de classe est vaste comme l'océan.

notre peau. Oh, ces odeurs! Madère, c'est ce parfum de fleurs, de terre humide, de vanille qui vous accueille... L'île est tout entière illuminée, des milliers de lucioles sur les flancs de la montagne dessinent les maisons et les routes. Et puis voilà Funchal, le port. Bientôt la *Fleur* est à quai.

Madère, c'est l'île des amis, retrouvés d'escale en escale. Dès le premier jour, ils nous accueillent, nous invitent, nous font découvrir cette terre heureuse. La première île vraiment exotique sur la route du sud! Il suffit de se rendre au marché pour s'en persuader.

«Nous sommes tout proches des îles Selvagen.
Nous abordons par le seul endroit protégé, les falaises tombent à pic;
on ne distingue qu'une petite cabane au bord de la mer.»
Fred

Fabrice est tombé amoureux de ce bateau qui le porte et lui fait découvrir un monde insoupçonné. La manœuvre est dure et exigeante, la vie à bord souvent conflictuelle, mais *Fleur de Lampaul* sait rendre au centuple ce qu'elle demande. Vivre une année de son adolescence en mer est une expérience qui marque profondément. Maintenant, Fabrice sait qu'il sera océanographe.

Se rendre au marché est toujours un plaisir... C'est aussi l'occasion d'apprendre l'espagnol et le portugais !

L'équipage est passionné par les bateaux en bois et ne manque pas d'examiner attentivement les barques de Madère.

Nous fréquentons les ports de pêche, animés, bruyants et colorés. *Fleur de Lampaul*, un voilier de travail, n'y est pas dépaysée.

Au marché, nous découvrons des fruits et des légumes inconnus. Quel plaisir, ces senteurs, ces parfums nouveaux !

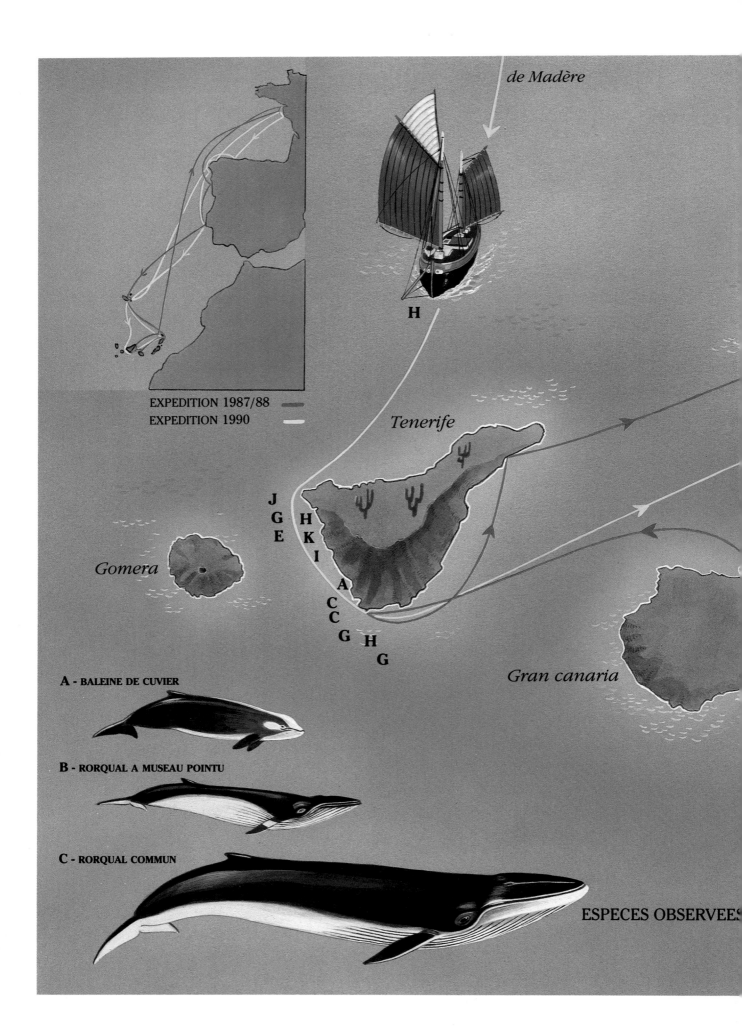

de Madère

EXPEDITION 1987/88
EXPEDITION 1990

H

Tenerife

J
G
E
H
K
I

Gomera

A

C
C
G
H
G

Gran canaria

A - BALEINE DE CUVIER

B - RORQUAL A MUSEAU POINTU

C - RORQUAL COMMUN

ESPECES OBSERVEES

vers Madère   de Madère   vers la France

I

B

J

Lanzarote

C

F

Fuerteventura

K - DAUPHIN TACHETE

J - DAUPHIN BLEU ET BLANC

I - DAUPHIN COMMUN

H - GRAND DAUPHIN

G - GLOBICEPHALE TROPICAL

F - ORQUE

EUR DE LAMPAUL

E - CACHALOT

C'est avec plaisir que nous y guidons les enfants émerveillés devant une telle profusion de fleurs, de fruits, de légumes, débordant des vastes couffins d'osier! Parmi eux, certains ont des saveurs et des formes étranges comme mangues, les maracudjas, les anones, les papayes, les patates douces. Les vendeurs, parfois du même âge que nos mousses, nous font gentiment goûter leurs produits. Nous rentrons au bateau, chargés d'une cargaison odorante, la tête pleine d'images colorées.

Dès le lendemain, nous recevons la visite d'Eleuterio Reis, l'ancien pêcheur de cachalots avec qui nous nous sommes liés lors de la première expédition. Il fait monter les enfants dans sa Land Rover et nous emmène chez lui, tout au bout de l'île. Nous sommes tous invités à déjeuner; il nous fait ensuite visiter le musée du Cachalot qu'il fait construire à Caniçal. Sa fierté : un cachalot grandeur nature, 12 mètres de long... En plastique! «Rencontrerons-nous un jour ces géants?» se demande Maogan en contemplant d'un air dubitatif l'impressionnante mâchoire. Après le déjeuner, nous faisons route vers la pêcherie de cachalots désaffectée. Une impression de tristesse nous envahit devant l'état de délabrement. (Deux ans plus tôt, nous avions tenté de remettre à l'eau la dernière baleinière; les harpons, les lances et les lignes étaient rangées dans les hangars. Eleuterio nous avait offert un harpon qui décore maintenant le carré de la *Fleur.*) Aujourd'hui les herbes folles ont tout envahi, seul le couloir de la mort, plongeant dans l'océan, et des bidons rouillés où croupit encore l'huile, rappellent que plus de 5 000 cachalots ont été dépecés ici.

Étrange amitié que celle qui lie nos mousses à ces hommes aux visages burinés. Une même passion pour les cétacés. Eux les côtoient depuis

Les pêcheurs de cachalots guident *Fleur de Lampaul* vers les Îles Desertas.

Ils nous font découvrir leur univers : la pêcherie, aujourd'hui désaffectée, leur atelier d'artisanat.

l'enfance. Ils les combattent, mais les respectent. Dans cette chasse cruelle : les pêcheurs harponnent d'abord les petits, certains qu'ensuite ils pourront capturer les adultes qui ne les abandonneraient pas. Elle se déroule comme au temps de Moby Dick, avec de fines baleinières et des harpons lancés à la main. Le cachalot est achevé à la lance, et la mer devient rouge de sang. Eleuterio nous rappelle une fois de plus que c'est l'homme qui est cruel, et non le cachalot qui ne se défend jamais, malgré sa force et sa puissante mâchoire. L'histoire de Moby Dick, le monstre féroce, le fait doucement sourire!

Des journées entières, nous les écoutons et les harcelons de questions. À travers leurs récits, nous apprenons à connaître les mœurs des cachalots. L'étonnante histoire des pêcheurs de Madère, c'est qu'ils se sont petit à petit attachés aux cétacés, et d'autant plus que les scientifiques ont commencé à venir les étudier avec eux. Une meilleure connaissance des géants qu'ils combattaient les a contraints au respect, à l'amour pour eux. Et, lorsque le nombre de cétacés s'est mis à diminuer dangereusement sous les coups de la pêche industrielle des Japonais et des Espagnols, en 1982, ils ont définitivement rangé leurs harpons. Eleuterio Reis a alors créé une association pour la protection des mammifères marins et milité pour l'arrêt de la chasse aux Açores. Il a été l'un des instigateurs de la réserve qui protège maintenant les îles Désertas.

Nous sommes invités à présenter notre expédition dans une école de Madère. Nous nous y rendons avec Eleuterio Reis, qui passe aux enfants un film sur les phoques moines des Désertas. Mais que sont donc ces étranges îles désertes, posées sur l'horizon, énigmatiques et sombres? Il est temps d'aller voir!

Les pêcheurs nous expliquent leur vie et la pêche traditionnelle qu'ils ont pratiquée depuis l'enfance.

Un cachalot est hissé dans le couloir de la mort et va être dépecé. Il donnera une vingtaine de tonnes d'huile.

*«Une petite île rocailleuse et sèche, ce n'est pas ce que nous espérions.
Mais découvrir cet endroit désert, envahi par les puffins qui n'arrêtent pas
de crier, c'est passionnant.»*
Hervé

Fleur de Lampaul dépose quelques robinsons en herbe aux Iles Desertas, des volcans arides et déserts où vivent les derniers phoques moines. Les enfants s'y entraînent à la plongée libre : la vie semble s'être réfugiée sous la surface. Quelques jours sur une île déserte, c'est un vieux rêve de gosse... Hélas, moins agréable que prévu! Nous avons oublié la nourriture à bord!

Les enfants dauphins

«Dans notre île, il y a beaucoup d'arbres dont les feuilles sont immenses,
des cascades d'eau douce, et des grottes où nous décidons de nous installer.
Nous apercevons la mer entre deux montagnes.»
Maogan

Le naufrage d'un bateau de pêche met fin à l'aventure : nous hébergeons neuf pêcheurs dans notre grotte !

Un jour de gros temps, *Fleur de Lampaul* laisse à bâbord Allegranza, une île déserte des Canaries où nous aurions aimé relâcher.

Fleur de Lampaul relâche plusieurs fois dans cet archipel composé de trois îles : Chao, Bugio et Deserta Grande, qui mesure 10 kilomètres de long. Elles sont nées d'une colère volcanique et lorsque pour la première fois vous jetez l'ancre au pied de la falaise, elles font peur : 400 mètres d'à-pic! Un paysage minéral, indescriptible. Vu de loin, les Désertas ressemblent à l'échine d'un monstre préhistorique, hérissée de crêtes aiguës; vu de près, à un gâteau raté, dont le cuisinier aurait mélangé abusivement des colorants à des produits divers. Les couches de lave et les scories se chevauchent en strates rouges, noires, soufre, ocres et roses. Dans ce monde aride survivent des oiseaux, des lapins et des chèvres sauvages; et, dans la mer, les derniers phoques moines : il en reste moins de dix.

Fleur de Lampaul nous y dépose. Frédéric, Fabrice, Hervé et moi, nous nous installons dans une grotte, d'autant plus robinsons que nous avons oublié à bord le panier de nourriture. Nous nous entraînons à la plongée en apnée, dans un étrange décor sous-marin où les poissons multicolores évoluent parmi les arches et les coulées de lave. Le troisième jour, des appels désespérés retentissent : un bateau de pêche fait naufrage, à nos pieds! Leur moteur a calé et le vent les a jetés à la côte, ils n'avaient pas d'ancre à bord! Malgré nos efforts, il est impossible de sauver le bateau qui se perce sur les écueils acérés. À la nuit, nous réchauffons neuf pêcheurs désespérés et transis autour du feu de notre grotte. Nous appelons *Fleur de Lampaul* à l'aide de la radio portative, et l'aventure prend fin le lendemain.

Durant la deuxième expédition, nous relâchons dans une île que nous avions aperçue plusieurs fois sans oser nous y arrêter, lors de

L'île au trésor existe : nous l'avons rencontrée!

Elle s'appelle Selvagem Grande, la Grande Sauvage.

Cet îlot perdu se trouve à mi-chemin entre Madère et les îles Canaries.

L'équipage n'a pas trouvé le trésor du Capitaine Kidd, qui y a naufragé, mais des millions de puffins.

Ces oiseaux sont confiants et nous permettent de tourner quelques belles séquences pour le film de l'expédition : l'audio-visuel tient une place importante dans les activités du bord.

notre précédent voyage : Selvagem Grande, la grande sauvage, un caillou désert entouré d'écueils, une île perdue en plein océan. De quoi faire rêver, surtout lorsque l'on connaît la légende du capitaine Kidd, ce célèbre pirate anglais qui y a naufragé en rentrant d'une fructueuse expédition dans les Caraïbes. Son navire était lourdement chargé de la prise d'un galion et du sac d'une ville. Le trésor est, paraît-il caché sur l'île. Nous nous en approchons prudemment, doublant la pointe de l'Homme mort et la pointe du Risque, l'îlot noir et le cap de l'Enfer. Tout ceci a un parfum d'aventure qui n'est pas pour nous déplaire! Nous jetons l'ancre dans une baie à peine abritée, et la houle de l'alizé nous fait rouler bord sur bord. Le débarquement est périlleux. À la nuit, lorsque nous rejoignons le bateau les vagues ont augmenté et balayent la côte. À peine à l'eau, le Zodiac est emporté irrésistiblement au milieu des écueils. Nous nous en sortons de justesse et le reste de l'équipage embarque à la nage, à la lueur des lampes de poche!

Nous découvrons que le vrai trésor de l'île n'est pas constitué d'hypothétiques lingots d'or, mais de puffins. Selvagem Grande est en effet la réserve naturelle qui abrite la colonie de puffins la plus importante au monde! Ils emplissent l'air de leurs cris grinçants. Confiants, ils se laissent approcher par nos mousses. Il y en a partout : chaque anfractuosité de la roche volcanique abrite un nid! Au sommet de l'île, plateau couvert d'herbes et de fleurs, nous marchons, courons au milieu des petits lapins, la peau nue balayée par l'alizé. Mais notre île préférée, celle que nous retrouvons toujours avec émotion, c'est La Graciosa. En espagnol, cela veut dire : «la jolie». C'est une petite île des Canaries que le tourisme n'a pas encore défigurée.

Tourner un film, c'est apprendre à observer. C'est un regard d'enfant posé sur la nature et les hommes.

Etre naturel devant la caméra, ce n'est pas facile. Le film permet aussi d'apprendre à s'exprimer.

«Les fonds turquoises couverts d'une multitude
de poissons colorés me tournent la tête. Un monde nouveau,
plein de vie, m'envahit.»
Géraldine

La Graciosa! Un paysage élémentaire : des volcans érodés qui plongent dans la mer, du sable,
du soleil, et l'alizé puissant qui souffle inlassablement. L'eau prend des couleurs de mers du Sud.
Quel bonheur lorsque *Fleur de Lampaul*, après une rude traversée, se glisse dans la baie
et jette l'ancre dans l'eau translucide!

Elle compte peu d'habitants, des pêcheurs amoureux de leur tranquillité et décidés à ne pas se laisser envahir. La Graciosa, c'est un paysage extrêmement dépouillé. Du sable et de la lave, du soleil et du vent, l'eau, c'est tout. Mais quelle fête des couleurs! Quelle fête des sens! L'eau est d'une incroyable transparence. Le sable blanc est poudreux et doux à souhait.

À chaque escale, nous retrouvons des amis ou nous nous en faisons de nouveaux, toujours surpris par la gentillesse de l'accueil. Les nouvelles rencontres sont un aspect important du voyage. Les pêcheurs de La Graciosa aiment bien la *Fleur*, et le bateau est souvent envahi par de nombreux autochtones. Notre meilleur ami, c'est Mingo, un jeune pêcheur. Il vient nous voir tous les jours, au mouillage dans la baie déserte où nous relâchons le plus souvent. Il nous raconte sa vie sur sa petite île, à dix jours de mer de la France seulement et pourtant tout est ici si différent!

Ces nombreux contacts sont enrichissants, et nos matelots en herbe font des progrès rapides en espagnol. Lorsqu'il nous faut, hélas, prendre le chemin du retour, nous remplissons les barriques d'eau douce de *Fleur de Lampaul* en puisant au seau dans les réserves d'eau de pluie de nos amis. Ici, l'eau est rare : nous sommes à quelques dizaines de kilomètres du Sahara!

Ne vous imaginez pas que ces escales dans le Sud sont de longues vacances. *Fleur de Lampaul* est une école. La salle de classe, c'est l'océan. Les amis de rencontre, les dauphins, les oiseaux sont les professeurs. La vie à bord est active et les journées bien remplies. On se lève tôt et les matinées sont généralement consacrées aux matières intellectuelles : français le plus souvent, mais aussi les mathématiques.

Les maisons du petit port sont construites directement sur la plage.

L'eau douce est rare : nous sommes tout proches du Sahara. Les habitants tiennent à leur rythme de vie séculaire, entièrement tourné vers la mer et la pêche.

Ils construisent leurs barques, cultivent de maigres jardins et résistent à l'invasion du tourisme qui a défiguré les autres îles des Canaries.

Les sciences naturelles, la géographie et l'histoire, les langues, c'est le voyage lui-même qui nous les enseigne.

Il y a fort à faire pour entretenir ou réparer *Fleur de Lampaul*. Sur un navire ancien de cette taille, les occasions ne nous manquent pas pour être tour à tour peintre ou mécanicien, charpentier ou gréeur. Les enfants arrivent généralement à bord sans avoir touché un outil de leur vie. Le premier nœud de chaise est parfois long à assimiler... Mais à l'issue de quelques mois, les petits écoliers avait développé de vraies aptitudes manuelles, les filles comme les garçons. Les périodes de travaux offrent l'opportunité de côtoyer les gens des ports, les pêcheurs, les artisans. En avril 1990, le bout-dehors de *Fleur de Lampaul* s'est rompu dans le mauvais temps. Durant plusieurs jours, nous avons raboté un nouvel espar sur le petit quai de La Graciosa. Ce chantier était devenu la distraction du village, qui n'en compte pas beaucoup. Lorsque le nouveau bout-dehors, long de 9 mètres fut prêt à être posé, la nuit était tombée, mais une vingtaine de jeunes, sans nous laisser le temps de souffler, s'en sont emparés et l'ont mis en place, tirant d'un côté et de l'autre à grand refort de cris. Ce fut une fin de chantier bien arrosée, qui se prolongea tard dans le carré du bateau.

Nous explorons les criques, les montagnes, parfois enneigées, et nous rencontrons des gens si divers. Les mois s'envolent à toute allure. Lorsque au retour l'on demande aux jeunes : «Sept mois si loin de vos parents, ce n'était pas trop long?» Ils sont unanimes pour répondre que c'était trop court, qu'ils n'ont pas vu le temps passer! À chaque départ, en criant les adieux aux amis qui nous saluent du quai, de plus en plus petits dans le sillage, nous y laissons un peu de notre cœur...

Une petite barque permet de faire vivre une famille. Cette pêche douce ne dévaste pas les fonds marins.

Sous la surface des eaux, une vie riche et variée. La Graciosa est une réserve naturelle, seuls les autochtones sont autorisés à
pêcher. Ici, la mer est encore source de vie. Les pêcheurs n'ont pas besoin d'engins sophistiqués
qui rompent l'équilibre de la vie marine. Les barques sont accueillies au retour par les femmes et les enfants.
Sur les filets étalés sur la grève sèchent des milliers de sardines.

«La pêche reste la principale activité de l'île; elle occupe presque tous les hommes. Le tourisme y est peu développé et reservé à une dizaine de personnes en quête de soleil et de désert.»
Claudine

Alice plonge pour nettoyer l'hélice. Il faut caréner le bateau en plongée, une excellente occasion de s'entrainer à l'apnée !

«Refaire les enfléchures, les surliures, réparer les haubans, enfin tous ces travaux qu'exige le bateau, pendant que d'autres préparent le repas, ou assurent la navigation.»
Dominique

Après plusieurs mois de navigation d'île en île, les enfants connaissent à fond le bateau et les manœuvres. Lever l'ancre, envoyer la toile, lover les drisses sont devenus habituels. Manœuvrer *Fleur de Lampaul* est un vrai travail d'équipe, où chacun doit être à sa place et synchroniser son travail avec celui des autres.

En cherchant le mouillage
égaré par un pêcheur,
nous découvrons plusieurs ancres
anciennes par quinze mètres
de fond.

Nous décidons d'en relever une.
Après l'avoir amarrée en plongée,
nous la remontons à l'aide du
guindeau.

Elle est énorme
et superbe, incrustée
de coraux multicolores.

L'équipage
l'offre aux habitants de
La Graciosa.

A bord les enfants apprennent les gestes séculaires de la marine en bois : surliure, épissures, le travail du gréeur.

Fleur de Lampaul est un navire simple et robuste, mais de par sa taille, il y a toujours quelque chose à faire !

A Ténérife, *Fleur de Lampaul* fait peau neuve. Nathalie repeint le guindeau, le reste de l'équipage se charge de la coque

En mer, il faut surveiller le moteur : pression d'huile, température de l'eau, etc. Le chef mécanicien de la Fleur fait sa ronde.

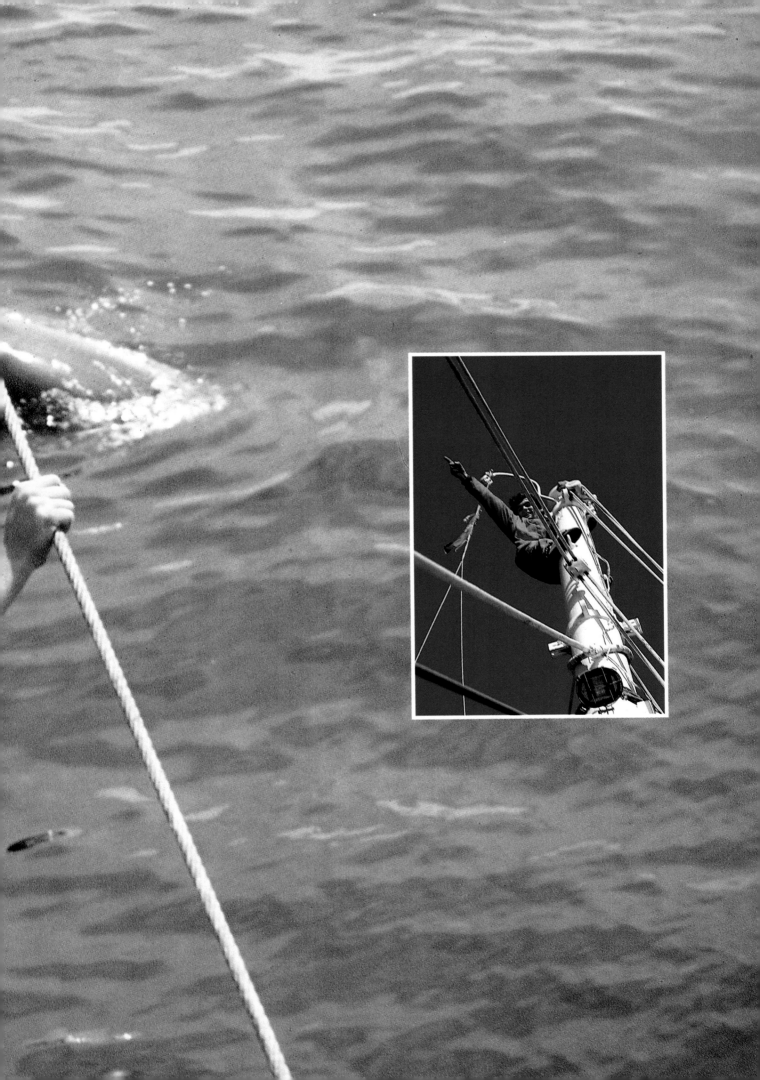

Voyage au pays des baleines

*Nous étions partis naïfs, ignorants,
rêvant de baleines sans rien y connaître.
Un stage au Centre national d'étude des mammifères marins,
à La Rochelle, nous avait permis de consulter
toute la documentation existant
sur les cétacés dans les eaux africaines.
Peu de choses, en fait.*

Les mois avaient passé. Les dauphins nous rendaient souvent visite, mais de grands cétacés, point. *Fleur de Lampaul* se balançait dans la longue houle du large, les vigies se succédaient dans la mâture, mais l'horizon restait vide. Désespérément vide. Les deux tiers de cette première expédition s'étaient écoulés ainsi, et les enfants ne croyaient plus aux baleines. Dans leurs esprits, elles avaient regagné la catégorie des animaux mythiques qu'elles n'auraient jamais dû quitter.

Les nombreux problèmes qui contrecarraient ce voyage n'étaient pas faits pour remonter le moral des troupes. À Lanzarote, une panne sérieuse de moteur immobilisa *Fleur de Lampaul*. Laissant Nedjma, Yves et Clémentine réparer, les cinq jeunes et moi partons à La Graciosa, nous entraîner à la plongée en apnée et effectuer des repérages pour le film. Depuis dix jours déjà nous cam-

Grâce à la vigie en tête de mât, nous pouvons surveiller l'arrivée des cétacés curieux ou peureux, autour de *Fleur de Lampaul*

Les enfants courent de la poupe à la proue pour suivre leurs évolutions.

Le vrai travail va pouvoir enfin commencer : les jeunes matelots doivent apprendre à identifier les différentes espèces et notent soigneusement leur comportement.

La sous-barbe, la chaine située sous le bout-dehors, est un poste d'observation privilégié pour voir de plus près ces étonnants mammifères marins.

pons dans une grotte. Le temps est mauvais. Ce matin-là, Hervé part avec Frédéric pour lui apprendre la photo. Une heure plus tard, un cri nous alerte :

«– À l'aide! À l'aide!»

Hervé est seul et lui, d'ordinaire si calme, crie et gesticule. Il a dû arriver un malheur à Fred. Nous courons vers lui comme des dératés, écorchant nos pieds nus sur les pierres, sautant les buissons. Nous arrivons auprès Hervé; Fred est à ses côtés.

«–Baleine!»

Quoi? Nous comprenons notre méprise et sautons de joie. Fred, la voix coupée par l'émotion, nous explique qu'Hervé lui apprenait à faire des photos. Il cadrait les grosses vagues qui se gonflaient près du rivage, réglait le diaphragme, la netteté, quand, dans le viseur, une baleine émergea et souffle! Il a été tellement surpris qu'il en a oublié d'appuyer sur le déclencheur!

Les enfants dauphins

«Nous commencions à désespérer, les uns malades, les autres à la barre, quand des cris et la cloche retentissent sur le pont : "cétacés à babord, cétacés à tribord!" Une joie immense nous envahit : les globicéphales!»

Alice

Dominant sa peur, Frédéric s'accroche à la sous-barbe, sous le bout-dehors.
Les dauphins viennent le regarder l'un après l'autre. Ils aiment la vitesse et raffolent de la vague d'étrave des bateaux.
Quelle étonnante rencontre entre l'enfant et le dauphin !

Les grands dauphins ou Tursiops truncatus, nous offrent un ballet à l'étrave. Ils sont déchaînés !

Des heures durant, l'équipage court de l'avant à l'arrière du bateau pour suivre les évolutions des cétacés.

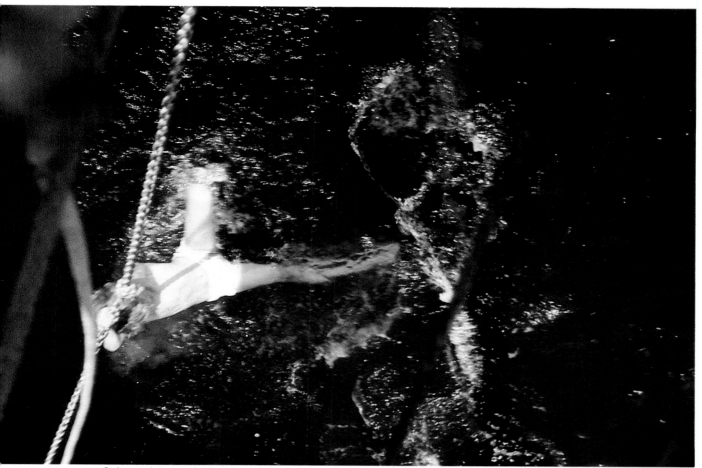

Solen se jette sur le dos d'un globicéphale noir, un cétacé de six mètres, qui passe en dessous de lui.

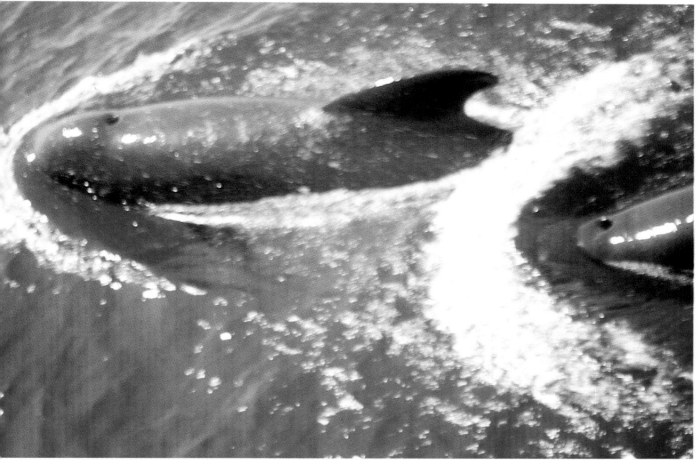

Plus puissants et plus lents que les dauphins, les gros globicéphales noirs sont aussi moins farouches.

«Quelle chance : dès le premier jour en mer,
nous rencontrons un groupe de globicéphales avec son habituelle escorte
de grands dauphins. Nous les observerons longuement tout près de l'étrave.»
Anne

Par moment, le contact avec les cétacés est très fort : ils sont aussi curieux de nous que nous d'eux. Les dauphins communs viennent regarder Gaëlle les yeux dans les yeux. Ce groupe nous a accompagnés pendant plusieurs heures ; la mer d'huile nous permettait de suivre parfaitement leur ballet aquatique.

Les enfants dauphins

«Nedjma est sur le bout-dehors à faire des acrobaties.
Je trempe mes pieds dans la mer, sans lâcher la chaîne; je réalise qu'il y a
cinq mille mètres de fond, mes mains ne lâcheront pas le bout.»
Elodie

Les dauphins passent comme dans un rêve : on voudrait les caresser,
briser ce voile ténu de l'eau qui nous sépare. Étrange contact éphémère. Je ne sais pas
si ces dauphins se souviendront de nous, mais nous ne pourrons jamais oublier cette rencontre presque irréelle.

Quelle chance! La probabilité pour qu'une baleine émergeât juste là, à ce moment précis, était infime. C'est comme cela avec les baleines : il y a toujours un côté magique dans la rencontre. Mais Fred n'a pas rêvé, trois baleines soufflent à nos pieds. Elles font un tour au large puis reviennent dans la baie. Nous les identifierons plus tard comme étant des rorquals à museau pointu.

Dés lors, à chaque navigation nous rencontrons des cétacés.

«Baleines!»

Cette fois, le cri de la vigie est bien reçu. Alors, comme une machine parfaitement rodée, l'équipage exécute les préparatifs souvent répétés. Chacun sait ce qu'il doit faire. Les uns gonflent le Zodiac, les autres sautent dans leurs combinaisons, Nedjma prépare caméra et appareils photo étanches. En quelques minutes, nous sommes prêts et en route vers les cétacés. Sans en avoir jamais vu, nous avons tout de suite reconnu les ailerons caractéristiques des orques! Voilà qui ajoute un certain suspense à cette première rencontre. Nous ne sommes pas face à de pacifiques baleines, mais face aux seigneurs de la mer, les baleines tueuses, les tristement célèbres orques gladiateurs... Nous savons qu'il s'agit d'une légende, certes ces cétacés ont effectivement coulé quelques bateaux mais ils n'ont jamais attaqué l'homme. Mais leur appétit ne sera-t-il pas aiguisé par quelques matelots dodus? Nous voici à quelques mètres d'eux. Ils soufflent et fendent les eaux indifférents à notre présence. Nous coupons la route de l'un d'eux et, trois mètres devant lui, nous plongeons à trois, (Jean-Michel, inquiet, préfère rester dans le Zodiac)! Je suis tellement ému que je m'emmêle les palmes et que l'eau rentre dans mon masque. L'orque passe juste en-dessous de nous, corps fuselé, admi-

Chercher les cétacés, c'est aussi une affaire de patience, de longues heures passées à se faire balancer dans la mâture, des journées décevantes à faire la veille, en vain.

Mais le bond joyeux d'un dauphin, l'apparition d'un aileron ou d'un souffle, salués par les cris de joie de toute l'équipe, récompensent ces efforts.

rable faisceau de muscles gainé de noir et de blanc. Il est peut-être l'animal le plus beau et le plus intelligent du monde. Neuf mètres de long, tout en puissance et en souplesse. Il nous distance. Nous remontons dans le pneumatique et suivons la troupe des orques, ils sont six; durant une heure trois quart nous naviguons près d'eux, les approchant lorsqu'ils émergent, jusqu'à ce qu'ils disparaissent. Ils n'ont fait montre d'aucune agressivité.

Puis nous rencontrons des rorquals communs, sans pouvoir les approcher. Leur souffle immense s'élève comme une colonne de vapeur, à près de 10 mètres au-dessus de la surface. Nous arrivons à Tenerife et là, entre cette île et la Gomera, nous découvrons une zone où vivent de façon sédentaire des globicéphales tropicaux, cétacés de 6 mètres de long, et de grands dauphins. Tous les jours nous les retrouvons et nous multiplions nos observations. Au bout de quelque temps, nous pouvons en déduire certaines de leurs habitudes : le matin ils se trouvent plutôt dans telle zone, ils sont plus faciles à approcher en début et en fin de journée, etc. C'est passionnant. Nous avons l'impression de devenir les familiers de ces cétacés qui, parfois, se laissent approcher. Il nous est arrivé de les toucher. Les globicéphales ne tiennent pas de cahier d'observation, mais il est indéniable qu'ils nous étudient eux aussi. Il leur arrive de se mettre sur le dos pour mieux nous voir, et même de tourner autour de nous, sous l'eau! Cette population, que nous allons étudier lors de nos deux expéditions, offrira en mai 1990 à Géraldine et Nedjma un grand et rarissime spectacle : leurs amours et une naissance. Les globicéphales s'accouplent sous l'eau, en pleine mer. Ils nagent d'abord à toute allure, très excités, puis se rapprochent l'un

*«Les globicéphales, coopératifs et un peu cabotins,
nous observent la tête hors de l'eau en nous faisant admirer
leur ventre blanc. A bord, nous crions de joie.»*
Charlie

Moment d'intense excitation :
les globicéphales viennent nous voir. Ils s'approchent lentement et longent la coque de la *Fleur*.
Ils sortent la tête hors de l'eau pour mieux nous regarder. Nous ne nous lassons pas d'admirer leurs corps puissants, fuselés
comme des torpilles, leurs souffles où les rayons du soleil s'irisent en d'éphémères arcs-en-ciel.

de l'autre, tête bêche, le sexe du mâle en érection. L'accouplement dure quelques secondes. Mais le plus émouvant fut le spectacle d'un accouchement. La mère était alors assistée de deux autres globicéphales qui s'interposaient entre elle et les nageurs. Hélas, le petit était mort-né. Il était enfermé dans le placenta, seule sa queue dépassait. La mère le prit dans sa bouche et tenta, en le secouant, de lui rendre la vie... Quelle confiance ont manifesté ces mammifères entièrement libres, en nous permettant d'assiter à de tels moments d'intimité!

Les dauphins quant à eux ont un caractère très différent. Ils sont beaucoup plus craintifs et, dès que nous nous mettons à l'eau, ils disparaissent. Durant une semaine nous multiplions les tentatives. Ce n'est pas toujours plaisant de se mettre dans l'eau froide en pleine mer et de nager après d'invisibles dauphins. Tout au plus entendons-nous leurs sifflements : ils nous étudient à distance. Mais notre persévérance finit par être récompensée. Un jour, un dauphin nage rapidement vers nous, jette un coup d'œil, puis repart. Quelle joie! Les jours suivants ils viennent chaque fois plus près et plus nombreux. Il s'agit d'un véritable apprivoisement qui nous fait penser au renard du Petit Prince. Nos petits princes à nous palment et plongent pour les attirer, car le jeu est un excellent moyen de communiquer avec les dauphins. Je les entends pousser des petits cris dans leurs tubas. Une fois encore les cétacés nous offrent leur confiance. Fred nage la nage dauphin, entouré de deux cétacés qui évoluent à la même vitesse. Fabrice les voit s'approcher à ses côtés. Ils sont heureux, nos enfants dauphins!

Curieusement, lors de la deuxième expédition, très courte, on a l'impression que les cétacés se sont passé le

**Enfin,
nous rencontrons
Moby Dick!
Durant tout un après midi
nous suivons les cachalots.**

**Nous mettons en pratique
les techniques d'approche des
anciens pêcheurs.
Cela marche tellement bien qu'un
cachalot a failli percuter la *Fleur* :
il n'a réalisé
la présence du bateau
qu'au dernier moment
et il est passé
sous le bout-dehors,
à raser l'étrave.**

**Quelle
émotion
de part et d'autre !**

mot pour nous gâter. Du premier au dernier jour ils viennent jouer aux côtés de la *Fleur*. Le premier matin, dans le golfe de Gascogne, des globicéphales noirs, des dauphins tursiops et des dauphins bleu et blanc nous saluent. Ce sont peut-être les mêmes qui nous offriront une telle fête six heures durant, le dernier jour, à peu près au même endroit! Bien que ce deuxième voyage ait duré trois mois au lieu de sept, et malgré le mauvais temps qui nous bloque au port un jour sur deux, nous ferons plus de cinquante observations de cétacés, autant que pendant le premier voyage.

Lorsque, venant de Selvagem Grande, nous arrivons sous le vent de Tenerife et signalons aux enfants que nous atteignons le but de l'expédition –la zone étudiée deux ans plus tôt–, un super comité d'accueil nous attend. En trois heures, trois espèces de dauphins viennent nager longuement autour de la *Fleur*. Le plus incroyable, c'est que les trois espèces se sont laissées approcher sous l'eau dès le premier jour! Le lendemain, nous retrouvons les «globis», confiants eux aussi.

À trois reprises, nous avons pu observer trois espèces de cétacés réunies dans un rayon de trente mètres. Les deux premières fois, en compagnie des globis et des tursiops, nous avons vu un dos gigantesque émerger, à quelques dizaines de mètres de la *Fleur*. Des rorquals communs! Sur le pont, sauts de joie, cris de fête! Nous suivons ces rorquals avec la *Fleur* et avec le Zodiac. Leur taille est impressionnante : ils sont aussi grands que notre navire! Lorsque le Zodiac est derrière eux, il traverse des zones de remous circulaires : les turbulences que crée la gigantesque queue des baleines! Mais ces contacts ont été frustrants car au bout de trois quarts d'heure, nous avons perdu les baleines.

Un, deux, trois, puis quatre cachalots défilent devant l'étrave. Ils ressemblent à d'énormes torpilles noires et luisantes.

Le souffle des cachalots s'élève puissamment. Les géants de la mer nous offrent un fabuleux spectacle.

Mais le plus touchant dans les rencontres avec les cétacés vécues à bord de *Fleur de Lampaul*,
c'est que les contacts dépendent d'eux : nous n'avons aucun moyen de les y forcer. C'est le bonheur
profond lorsqu'ils décident de nous faire confiance, de venir vers nous, d'accepter notre présence dans leur élément.

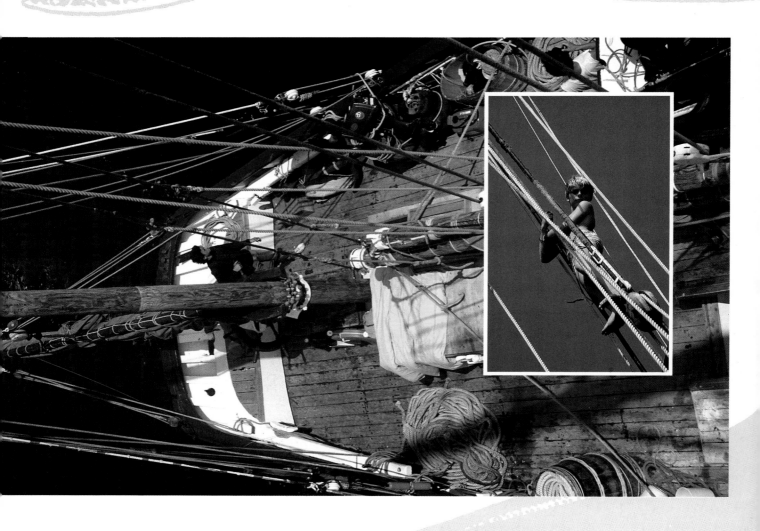

**Depuis la mâture, la vue porte beaucoup plus loin et il est plus facile de repérer les cétacés.
Nous passons des heures à la vigie, suspendus entre ciel et mer. A nos pieds, *Fleur de Lampaul* fend la mer avec force.
Le sillage s'étire derrière la carène. Inlassablement, nous sentons l'horizon. Là-bas, est-ce un souffle?
La crête d'une vague? Ou bien les cétacés tant attendus?**

Le vrai grand spectacle, nous l'avons eu lors ce deuxième voyage, à peu près au même endroit. C'est Gaëlle qui a vu le corps émerger; elle n'a pas eu une seconde d'hésitation devant la tête massive, le souffle incliné à 45° : «Un cachalot!» Celui-là, nous sommes bien décidés à ne pas le perdre, d'autant plus que Félix Le Garrec, le producteur de notre film, est à bord et tourne séquence sur séquence. D'autres souffles s'élèvent à l'horizon. Nous allons suivre les cachalots durant quatre heures et demie, mettant en pratique les conseils de nos amis pêcheurs de Madère. Mais dans un but pacifique! Hélas! nous n'arrivons pas à les approcher sous l'eau; ils nagent vite et sondent profondément. Nous nous mettons à l'eau plusieurs fois aux côtés de ces géants, mais seulement pour les voir disparaître dans le grand bleu.

La *Fleur* ne les effraie pas. Nous les approchons et les suivons doucement; ils soufflent puissamment devant l'étrave. Lorsqu'ils sondent, après s'être oxygénés quelques minutes, leur grande queue se dresse, majestueuse. Nous remarquons, comme pour les rorquals communs, que les globicéphales et les dauphins qui nagent à leurs côtés sont très fébriles. L'association de diverses espèces modifie apparemment leur comportement (dauphins et globis sont moins craintifs et plus joueurs lorsqu'ils sont ensemble). Pour la première fois, nous voyons des globis sauter entièrement hors de l'eau. À un moment, c'est un cachalot qui jaillit hors de la mer. 50 ou 60 tonnes, un instant suspendues dans les airs, qui retombent dans une gigantesque explosion d'écume!

Nous décidons de tenter un autre mode d'approche, que nous avons déjà expérimenté avec succès auprès des globis. Nous nous arrêtons

Nous avons découvert une zone où les globicéphales tropicaux et les dauphins vivent de façon sédentaire toute l'année.

Petit à petit, nous apprenons à les approcher.

Ces animaux, longs de cinq mètres et pesant deux tonnes et demie sont impressionnants.

Ils nous fixent de leur petit œil noir, et on ne sait pas ce qu'ils pensent. En fait, ils sont totalement pacifiques !

à quelques centaines de mètres devant un cachalot, en plein sur sa trajectoire. Il arrive sur nous, noir et luisant comme une torpille. À intervalles réguliers, son souffle retentit, en un «pfffou» sourd et puissant. Nous réalisons que le cachalot ne nous a pas repérés : il arrive droit sur nous sans dévier!

La tension monte, nous sommes tous groupés à l'étrave et sur le bout-dehors. Félix filme. À dix mètres devant nous, le cachalot lève la tête et nous sentons sa surprise. Il tourne à angle droit, non pas vers le large, mais vers nous! Dans un concert de cris de joie et de frayeurs, il passe sous le bout-dehors, et à quelques centimètres près effleure notre étrave. Quel fabuleux spectacle! surtout pour ceux qui sont dans le filet, sous le bout-dehors!

Nous aurons aussi la chance de faire une observation rare d'une baleine à bec de Cuvier, un *Ziphus cavirostris*. Cette espèce craintive est rarement observée vivante en mer. Le jour de nos observations des cachalots, nous rencontrons également des dauphins tachetés, guère observés de ce côté de l'océan.

Nous rédigeons un rapport sur la centaine d'observations effectuées, destiné aux scientifiques, et aurons la surprise d'être invités à présenter notre étude au colloque annuel de la European Cetacen Society, qui le publiera ensuite. J'étais fier et heureux de voir les adolescents du bateau montrer leur travail à deux cents chercheurs de quinze pays. D'ailleurs, à la suite de ces rencontres, deux cétologues américains se rendirent aux Canaries pour étudier la population de globicéphales que nous avons signalée. Et, si d'aventure vous passez par là, sachez que certains portent les noms de la *Fleur, Nedjma, Géraldine...* Ne manquez pas de les saluer de notre part!

«Quand j'ai nagé pour la première fois avec les globicéphales, j'ai été trés impressionné. Voir un mammifère marin, tout noir, mesurant presque six mètres et pesant une ou deux tonnes! C'est un moment inoubliable»
Moustapha

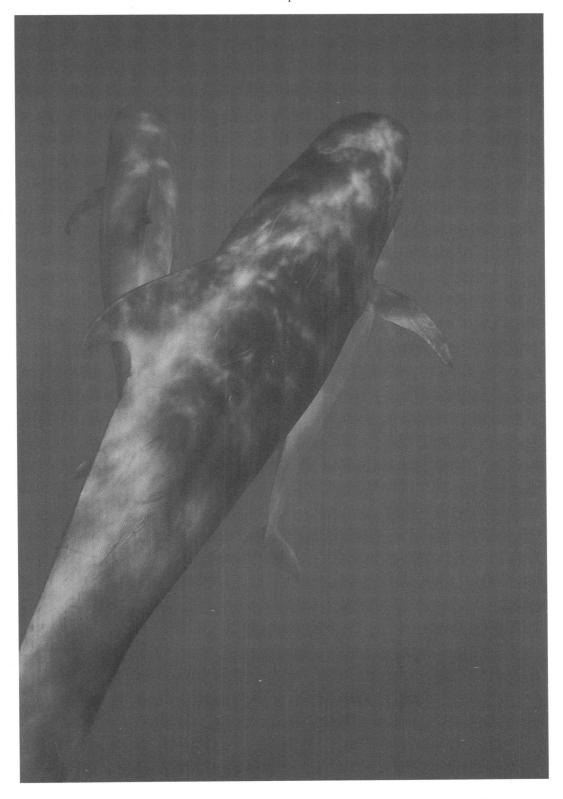

**Il y a de grands moments sous la surface de l'océan,
lorsque les «globis» viennent vers nous. Les jeunes, plus clairs, sont les plus curieux. Il leur arrive de tourner
autour de nous et de se mettre sur le dos pour mieux nous regarder. Quelle impression bouleversante
d'être à leurs côtés, de les toucher, de sentir leur regard posé sur nous et d'entendre leurs chants!**

Nager comme un dauphin, devenir ami des cétacés libres : le rêve est devenu réalité, l'harmonie recréée entre l'enfant et la mer.

Confiants, les globicéphales tropicaux nous offrent le spectacle de leur vie quotidienne, de leurs amours, de leur naissance...

Fleur de Lampaul
suit les globis,
parfois jusqu'à neuf heures
d'affilée.
Nous remarquons
qu'ils se laissent mieux
approcher en début
de matinée
et en fin d'après-midi.

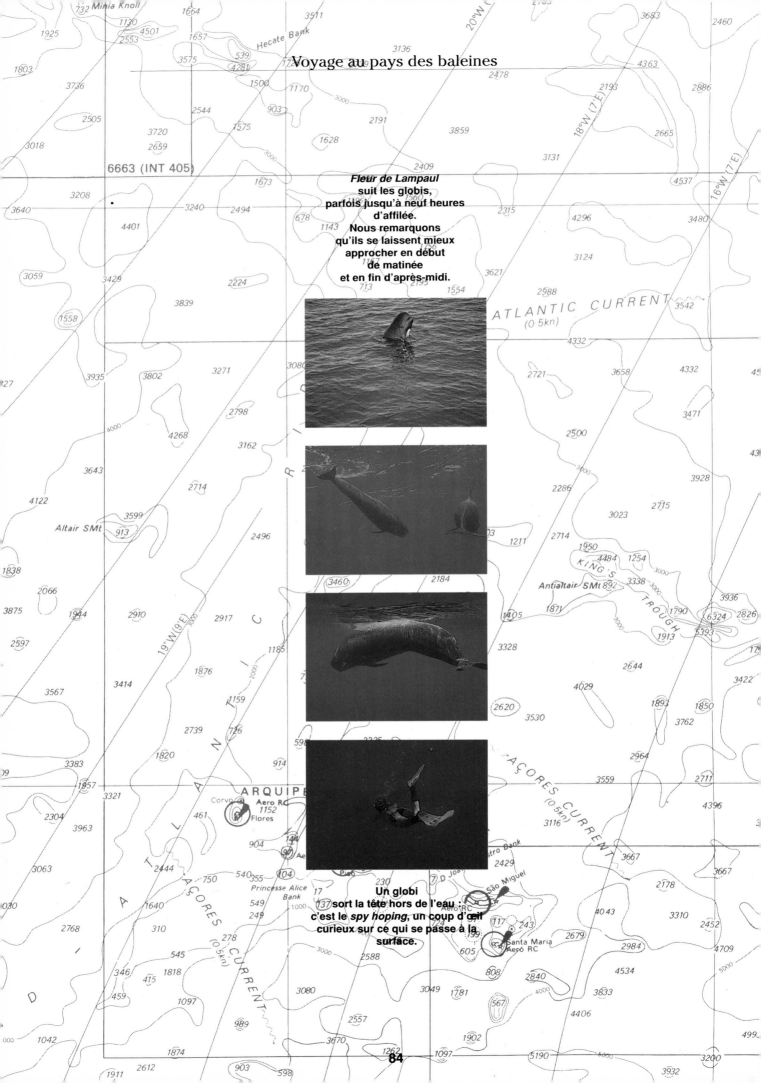

Un globi
sort la tête hors de l'eau :
c'est le *spy hoping*, un coup d'œil
curieux sur ce qui se passe à la
surface.

«Ils semblent m'ignorer... je palme derrière eux... un gros mâle se détache du groupe... il est maintenant à un mètre de moi... je vois son petit œil glacial. J'entends des cris perçants qui m'envahissent et me font vibrer.»
Nedjma

Les globicéphales tropicaux, comme nombre de cétacés, se nourrissent principalement de calamars. Il nous arrive de les voir se nourrir. Nous avons eu la très grande chance d'assister à des accouplements et même à la naissance d'un petit. Ces mammifères ont une organisation sociale développée. Un vieux mâle dirige la bande.

Les enfants dauphins

*«Éduquer, ce n'est pas emplir un vase,
c'est allumer un feu.» écrivait Montaigne.
Ce feu à bord de* Fleur de Lampaul *c'est la passion de la
découverte, avec un terrain d'aventure vaste comme l'océan.
les enfants d'aujourd'hui auront demain le monde entre
les mains. Il est important qu'ils apprennent
à le respecter mais surtout
à l'aimer!*

Il y a onze ans, durant l'été 1979, mon vieux yawl *Gwenvidik* embarque son premier équipage de jeunes en difficulté; ils me sont confiés par l'établissement dans lequel je travaillais. Ils ne connaissent rien à la mer, et moi guère plus. Ce premier voyage fut émaillé de nombreux incidents tragi-comiques : démâtage, voies d'eau, pannes de moteur, voiles éclatées, etc. Nous apprenions la mer, à nos dépens parfois. Cette première expérience fut étonnamment riche; certains jeunes en revinrent transformés. Nous n'avions rien inventé : il y a bien longtemps que les vertus éminemment éducatives de la mer sont

**Sous le miroir des eaux,
il y a un continent liquide
à explorer.**

**La vie a sa source,
nos racines y plongent.
La mer est offerte et fragile.**

Les enfants dauphins de *Fleur de Lampaul* **y ont nagé avec
les baleines tueuses,
joué avec le diable des mers.
Sans crainte, Moby Dick est
un géant pacifique.**

**Et si c'était l'homme, le super
prédateur ?**

**Restera-t-il encore demain des
baleines et des crevettes
nichées au creux des anémones
de mer pour
nous émerveiller ?**

reconnues par les Anglo-Saxons surtout, notre pays est très en retard sur ce plan.
Je quittais mon travail d'éducateur pour naviguer à temps plein. Les années suivantes furent difficiles mais enrichissantes. Nous embarquions uniquement des jeunes en difficulté sur proposition de la Justice ou de la DDASS. C'étaient les débuts de ce qu'on commençait d'appeler les «lieux de vie», et les adolescents qui provenaient d'institutions n'étaient pas des enfants de cœur... «*Gwenvidik II*», un beau dériveur intégral en acier que nous avions construit, nous mena sur les rivages d'Europe et d'Afrique.

«Je pense que les plongeurs ont dû avoir un peu peur
d'être tout seuls sous l'eau avec les globis. Cela doit être très impressionnant
d'entendre leurs cris dans le silence et de ne voir que du bleu.»
Gaëlle

Passer une année de son adolescence à bord d'un voilier est une expérience riche et dense.
Les jeunes y apprennent des choses essentielles que l'école n'enseigne pas : vivre ensemble, communiquer, découvrir la nature...
C'est une expérience globale qui leur est bénéfique sur les plans intellectuel et physique, affectif et psychologique.
Ils en reviennent souvent profondément épanouis.

Vivre aussi proche les uns des autres pendant des mois développe une complicité, une amitié profonde.

Après quelques mois, on se connaît bien et on arrive à accepter les autres comme ils sont. La vie quotidienne est plus agréable.

Il y a des bagarres pour rire. Parfois, aussi, des vraies...

Mais c'est une vie extrêmement exigeante. La qualité des relations est prioritaire à bord.

Certains jeunes passèrent parfois deux ans à bord.

Les résultats étaient indéniablement positifs. Le projet pédagogique s'affinait d'année en année, ce qui nous a conduits à passer, en 1985, à «l'ère *Fleur de Lampaul*». Ce grand navire, superbe et exigeant, nous offrait de nouvelles possibilités, et une équipe plus nombreuse allait pouvoir y prendre place. Les voyages deviendraient de vraies expéditions, avec un but précis, une tâche à remplir. L'équipage est formé de jeunes venant de toute la France, choisis pour leur motivation et leur amour de l'eau (ce qui ne veut pas dire qu'ils aient navigué). Deux jeunes en difficulté sont accueillis au sein de l'équipe. La vocation du bateau n'est plus seulement éducative. L'autre mission de l'Association *Le Taillevent*, qui gère *Fleur de Lampaul*, est la protection du patrimoine maritime. En été, le bateau devient lieu d'exposition et d'animation itinérant. Les premières années, il a reçu 400 000 visiteurs! Toute l'équipe (souvent avec les enfants), participe à ces contrats qui nous permettent d'assurer le financement des expéditions. La participation des familles, proportionnelle à leurs moyens, est souvent très modeste.

La communication a fait son entrée en force à bord, avec la coproduction de films télévisés, la réalisation d'émissions radio, la rédaction de reportages et de livres. C'est une dimension particulièrement intéressante qui oblige à voyager les yeux ouverts, apprend aux jeunes à s'exprimer et à fournir un travail de grande qualité (il est plus difficile de satisfaire un rédacteur en chef qu'un prof). Les enfants collaborent avec des professionnels de haut niveau.

Chaque expédition devient ainsi un (modeste) voyage d'exploration. Oh, certes pas géographique! Nous n'avons jamais découvert le moindre

Le voyage est une étonnante école, vaste comme le monde.

Une découverte de la réalité, grandeur nature.

L'occasion aussi d'apprendre à se prendre en charge, à devenir autonome.

On travaille, on étudie, non pour faire plaisir aux professeurs ou aux parents, mais pour satisfaire sa propre curiosité et atteindre les objectifs que l'on s'est fixés.

Le retour à l'école traditionnelle, après le voyage, se passe généralement très bien grâce à la maturité acquise durant l'expédition.

caillou oublié des cartographes! Mais il reste aujourd'hui d'immenses continents d'un autre ordre à explorer. De tels voyages en effet sont des expériences humaines d'une surprenante densité. Le but du voyage n'est pas de rapporter un cahier d'observations bien rempli sur les cétacés, mais de ramener des enfants heureux et bien dans leur peau, à l'affût du monde et de la connaissance, aimant la vie et prêts à prendre la leur en charge. Quel désir ambitieux! Nous n'avons ni l'envie ni la prétention de concurrencer l'école traditionnelle. Et pourtant nous chercherons à donner aux enfants un certain travail scolaire afin de ne pas les rendre inadaptés à l'école classique. Notre ambition se situe à un autre niveau, dans la mesure où les jeunes découvrent à bord des aspects essentiels de la vie que l'école n'enseigne pas; et lorsqu'ils retrouvent les bancs de leur classe, ils réussissent généralement fort bien. Malgré plusieurs mois, voire un an d'absence, certains n'ont jamais eu d'aussi bonnes notes, probablement parce qu'ils ont acquis le goût d'apprendre.

Dans ce dessein, *Fleur de Lampaul* est un superbe outil de travail. Un voilier intensifie tout, les bons moments comme les mauvais. Le plan relationnel est très important, il fait vivre un groupe de gens dans une promiscuité étroite pendant des mois durant. Il est impossible de garder un masque, de jouer la comédie; les êtres sont mis à nu, avec leurs qualités et leurs défauts. Le voilier exacerbe les tensions (c'est bien connu); il faut de plus assumer la problématique parfois très lourde de certains. Le premier but du voyage est donc d'établir entre nous des relations harmonieuses. Ce n'est possible que peu à peu, grâce au dialogue et à l'acceptation de l'autre tel qu'il est.

Les jeunes viennent à bord motivés par les cétacés. Ils découvrent vite que c'est l'aventure humaine qui est la plus forte.

Réaliser une expédition, c'est un travail d'équipe. Les relations sont fondées sur la coopération, non sur la compétition.

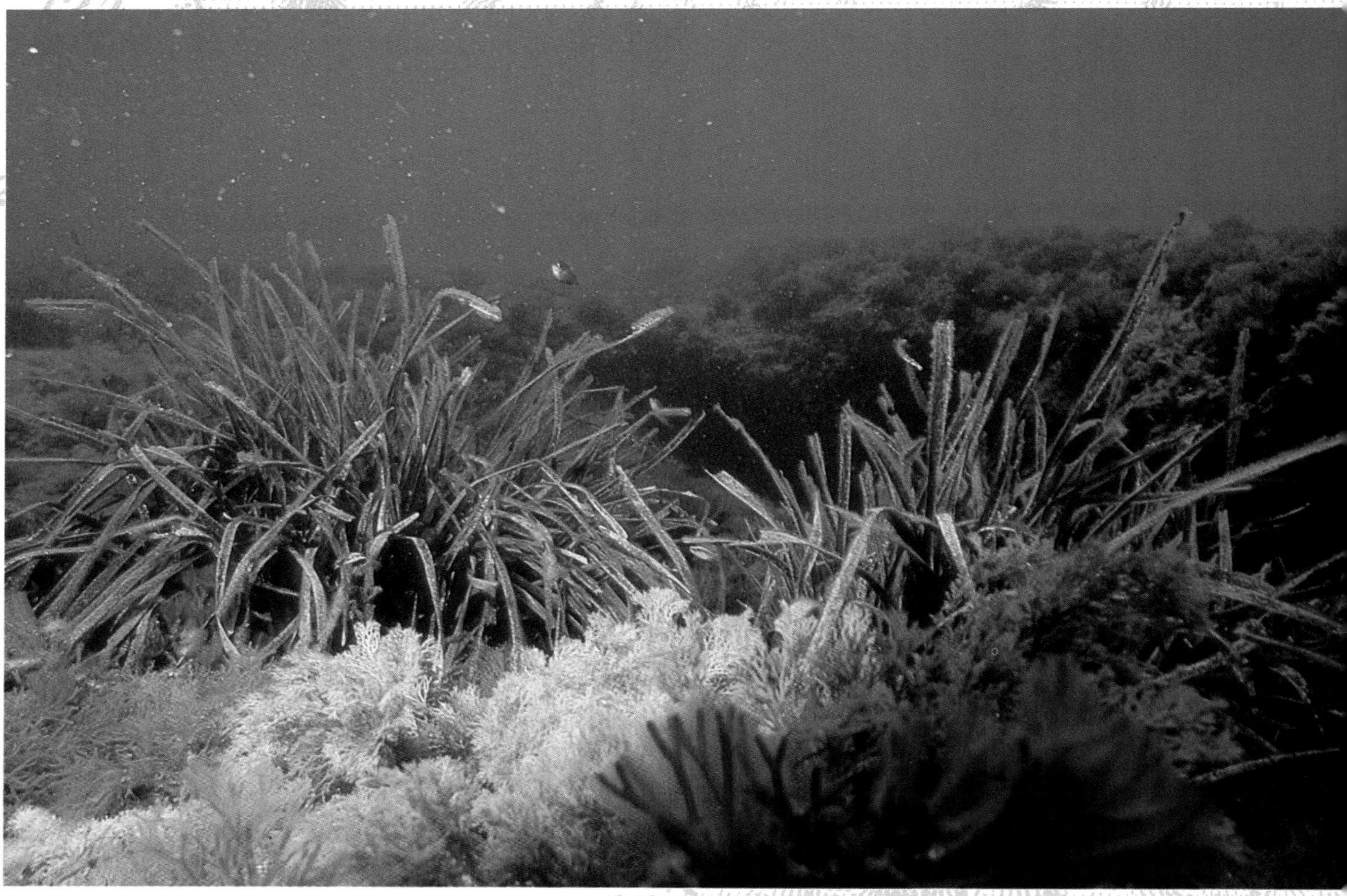

L'entraînement à l'apnée tient une place importante dans l'expédition. C'est nécessaire pour approcher les cétacés dans leur élément. C'est surtout un grand plaisir, la découverte d'un monde sous-marin fascinant, coloré et diversifié à l'infini. Moana, dont le nom tahitien veut dire «profondeur de l'océan», devient vite un plongeur habile.

«Elle nageait dans les mers avant que les continents n'émergeassent des eaux, elle a nagé sur l'emplacement des Tuileries, du château de Windsor et du Kremlin...»
Herman Melville - *Moby Dick* - Chap. 105

La vie est apparue dans la mer, avant notre naissance, nous avons flotté neuf mois dans un milieu liquide. Plonger, c'est remonter vers les sources de notre vie, retrouver des sensations oubliées. Notre corps lui-même est en grande partie composé d'eau.

Le groupe est parfois sur le point de se disloquer dans la violence, verbale et physique, et les crises. Ce qui est formidable, c'est de rentrer en France avec un équipage au complet, heureux; une profonde amitié a souvent remplacé peu à peu l'agressivité ou l'indifférence du début.

Le voilier permet un certain recul, non pas en marge de la société (ce mot a une connotation péjorative), mais à ses frontières. Il donne l'occasion de rencontrer différentes cultures. Mais surtout, puisque nos voyages sont axés sur les cétacés, il permet une plongée au cœur de la nature, au cœur de la vie baignée par les éléments : l'eau, le soleil, le vent.

Dans cette recherche de nouvelles façons d'apprendre, de communiquer, de vivre, nous n'avons pas une démarche scientifique, mais plutôt une démarche poétique. Nous poursuivons un rêve d'enfant, assez fou : partir dans les mers du Sud à bord d'un grand voilier ancien pour étudier les baleines. C'est un rare privilège de pouvoir ainsi réaliser ses rêves de gosse! Et puis, notre monde ne manque pas de technocrates, de scientifiques, de gens sérieux. Les enfants y ont si peu droit à la parole! Ils ont pourtant beaucoup à dire. «Nous changeons d'univers. Il ne s'agit plus de réparer. Il faut réinventer. Les jeunes s'adaptent... au grand métier d'explorateur de l'avenir, de créateurs de nouveaux continents d'intelligence», écrit Samuel Pisar dans *Le chantier de l'avenir*. Les jeunes pourraient s'exprimer longuement sur des points aussi intéressants que l'aventure comme moyen pédagogique, la prise de responsabilité, la manière d'adapter la scolarité au contexte du voyage, l'égalité jeunes-adultes, mais cet album n'est pas le lieu d'une telle analyse. Beaucoup d'expériences éducatives approfondissent ces points. Il est dommage que leur recherche ne ren-

Devenir un enfant dauphin, c'est se débarrasser de sa peur et de son agressivité. C'est essayer d'être en harmonie avec cet élément liquide qui nous entoure, de se décontracter, de s'assouplir.

contre pas plus d'écho en France. Pour conclure ce voyage au pays des dauphins, mieux vaut parler de l'aspect le plus original de l'expérience tentée : les relations entre l'enfant et l'eau, l'enfant et les cétacés.

Tout a démarré de façon très empirique. J'avais vingt ans lorsque j'ai mis les pieds pour la première fois sur un bateau. Après toutes mes années passées à Paris, ce fut une révélation. Lorsque nous embarquâmes l'été suivant, j'eus la bonne surprise de voir que pour certains l'effet produit était aussi fort, effet moins dû au bateau lui-même qu'à l'intensité de cette vie dans la nature, où l'on se sent vraiment exister. L'expérience la plus forte reste la découverte de la plongée libre. Je revois l'un des jeunes crier de joie sous l'effet d'un bonheur peut-être jamais ressenti jusque là.

Durant les années suivantes, je remarquais que, lorsque nous arrivions dans les mers chaudes et que les enfants pouvaient «s'éclater» physiquement dans l'eau, jouer, nager, plonger, ce moment coïncidait souvent avec un apaisement des conflits intérieurs et relationnels. Les jeunes, mieux dans leur peau, devenaient alors moins agressifs, plus amicaux; le bien-être du corps, rejaillissait sur le mental et en apaisait les tensions.

Cette constatation nous a donné envie d'approfondir cette piste enfant-eau, et c'est l'une des raisons qui nous a fait choisir pour thème d'expédition, les cétacés. Nous espérions, en effet, que la puissante motivation créée par cette recherche nous conduirait à passer beaucoup de temps dans la mer. Le voyage 1987-1988 a, sur ce point, dépassé notre attente. Tout le groupe d'adolescents s'est passionné pour l'apnée. Au début, ils ne restaient que quelques secondes sous l'eau, frétillant des palmes à toute allure et incapables de descendre. Alors qu'à la fin de l'expédition ils évoluaient, souples et aquatiques, jusqu'à 15 mètres de fond! Nous nous sommes beaucoup entraîné à l'apnée, avons réfléchi et échangé sur le sujet, lisant des livres comme *Homo delphinus* de Jacques Mayol. Nous nous sommes aussi essayés à des techniques de décontraction. Les fruits de toutes ces expériences ont été évidents et parfois même spectaculaires dans les relations à bord et la personnalité de chacun. Chez Moana, petit Tahitien dont le nom signifie «Profondeur de l'océan», qui a passé plus de deux ans à bord, les progrès accomplis ont été remarquables.

On dirait que, sous la mer, les valeurs qui règnent sur terre sont inversées. Notre époque a développé outrancièrement l'esprit de compétition, l'individualisme, et nous fait vivre tendus, stressés et combatifs. Pour progresser en apnée, il faut au contraire se détendre, puisque la tension des muscles brûle davantage le précieux oxygène. Il faut aussi dominer sa peur, essayer de remplacer l'appréhension devant l'élément par la confiance, car la peur aussi est synonyme de crispation. Sous l'eau, le meilleur, c'est le plus confiant, le plus souple, le plus abandonné. Mais la notion même de meilleur et de performance n'est pas de mise ici. On va sous l'eau pour le plaisir. Pousser ses limites, c'est risquer sa vie. L'apnée, comme le rappelait Jacques Mayol aux enfants de *Fleur de Lampaul* au retour, ne doit jamais se pratiquer seul. Au contraire, elle enseigne la solidarité, puisqu'il faut toujours surveiller son compagnon qui évolue au fond. Nous faisons à bord (pour l'apnée comme pour la navigation), extrêmement attention à la sécurité, estimant que la qualité d'une aventure ne se

La mer ressemble parfois à un jardin merveilleusement coloré, où les oiseaux et les papillons sont devenus poissons, les fleurs anémones de mer, algues, corail. Un jardin fragile.

mesure pas aux risques encourus, mais plutôt à sa bonne réalisation. Plonger, c'est aussi retrouver ses racines. C'est dans la mer que la vie est apparue. À l'origine de nos vies, nous avons flotté neuf mois dans une douce apesenteur. Les bébés sont nageurs d'instinct. D'où vient l'étrange bien-être qui nous saisit parfois lorsque nous évoluons, souples et aquatiques, oubliant le temps, dans la contemplation des merveilles sous-marines? Le voyage sous l'eau est-il aussi un voyage à travers le temps, une remontée en nous-mêmes vers des sources profondes, des sensations oubliées? Ce bonheur, cette harmonie sont-ils ceux que nous ressentions avant notre naissance? La mer est-elle notre mère?

Tout ce que j'ai observé, c'est que cette expérience peut contribuer à l'épanouissement des êtres, à une sorte de libération, voire de guérison. J'ai entendu dire que certaines formes de psychothérapie permettaient aux gens de revivre leur naissance. Il y a là peut-être un rapprochement.

Et les cétacés? Pourquoi sont-ils aussi fascinants? Pourquoi sommes-nous attirés par le sourire du dauphin? Aussi impressionnés par l'énormité de la baleine? Indéniablement et depuis fort longtemps, les cétacés occupent une place de choix dans l'inconscient collectif. Peut-être parce qu'ils sont à la fois tout proches et très lointains. Proches dans l'histoire de l'évolution : ces mammifères supérieurs ont un jour été des animaux terrestres qui sont retournés à la mer. Le fœtus d'un dauphin de quelques jours ressemble à celui de l'homme. Leur cerveau développé et leur intelligence sont bien connus des chercheurs. L'homme domine la terre; ils sont les rois de l'océan. Mais, tandis que notre domination est violente, la leur nous semble douce.

«Je songeais que j'étais dans un autre monde,
je ne voulais pas remonter à la surface, je voulais sonder avec eux,
mais c'était impossible, mon monde est celui des humains.»
Moana

Par quatre mille mètres de fond, nous plongeons à la rencontre des dauphins. Nous n'entendons que leurs sifflements.
Seuls les rayons du soleil descendent en éventail, se perdent dans l'infini du grand bleu. Et puis une forme, plusieurs formes
se matérialisent, se précisent : les dauphins viennent vers nous, le temps d'un sourire, puis disparaissent. Avons-nous rêvé ?

Baleine tueuse, diable des mers : l'homme a attribué des surnoms peu sympathiques à l'orque et à la raie manta

**Nous avons côtoyé les orques durant près de deux heures. La raie manta est venue longuement jouer avec nous.
Nous avons eu peur, pour rien : ces géants étaient totalement pacifiques. Ce furent nos plus belles rencontres sous-marines.**

*«Dans le déluge de Noë, elle méprisait l'arche, et si jamais le monde doit être
inondé de nouveau, comme les Pays-Bas pour l'extermination des rats, la
baleine survivra toujours et, se dressant sur la plus haute crête du flot
équatorial, elle fera jaillir son défi écumeux à la face du ciel»*
Herman Melville - *Moby Dick* - Chap 105

Il y a dans la nage de l'orque et de la raie manta une puissance et une grâce incomparables.

Les dauphins sont symboles de beauté, de douceur, de gentillesse, de non-agressivité et de totale harmonie.

Ils vivent et jouent au fil de l'eau et ils ne travaillent jamais!

Comment ne pas rêver d'être nous-mêmes dauphins! Il y a là une bonne part d'antropomorphisme, mais qu'importe, nous sommes sur le plan du symbole et du subjectif.

Proches de nous, d'une certaine façon, par le rêve, les cétacés nous sont néanmoins physiquement inaccessibles. Par leur taille : la baleine bleue pèse jusqu'à 180 tonnes! Par le milieu dans lequel ils évoluent : le cachalot peut sonder à 2 000 mètres. La plus grande partie de leur existence se passe sous le miroir de la mer, où ils nous sont à la fois invisibles et inabordables. De plus, il en reste si peu... Et l'océan est si vaste! Les rejoindre, nager avec eux, voire communiquer, est un projet fou, un fantasme, un délire! Mais l'homme cherche à assouvir sa soif d'absolu auprès de ces animaux-symboles, à rétablir un peu une harmonie perdue avec la création. Un rêve naïf, ce qui n'est pas une raison pour ne pas tenter l'aventure : elle est belle!

Nous avons choisi, pour les approcher, de nous dépouiller de l'arsenal technologique qui fait la supériorité de l'homme moderne. Pas d'hélicoptère pour les repérer, de navire rapide, de puissants hors-bords pour les encercler. Pas de harpon ni de filet pour les forcer au contact, les violer (comme ces tristes cétacés de Marinland). Pas de bouteilles ni de sous-marin pour les suivre dans les profondeurs de la mer.

Juste nos souffles. Nos corps. Notre respect et notre amitié offerte. Un retour aux origines : nous nous mettons à l'eau et tentons de les imiter. Nous nageons, plongeons, malhabiles dans cet élément auquel nous ne sommes pas adaptés. Ils sont

Comment ne pas être pris de respect pour la vie, d'un profond amour pour la nature devant tant de beauté ?

La mer est notre mère. Notre petite planète est bleue. Et pourtant, la vie a disparu de tant de lacs, de fleuves et de rivages...

Saurons-nous préserver la beauté du monde ?

totalement maîtres de la situation. Ils peuvent choisir : nous fuir, nous ignorer, nous tuer... Ou venir vers nous. La beauté d'un contact ne dépend que d'eux.

Lorsque nous nous mettons à l'eau et nageons vers ces ailerons qui fendent la surface de l'océan, notre cœur bat à 100 à l'heure. Plaisir et peur mêlés, s'il s'agit d'une grande espèce comme les orques. Nous savons que notre vie est à la merci de ces géants de 9 tonnes. Nous sommes tellement habitués à ne communiquer qu'en rapports de force que ce qui est plus gros et plus fort que nous nous inquiète. Et ce qui est merveilleux avec les cétacés, c'est qu'ils ne sont pas agressifs et que le rapport de force devient un rapport de confiance.

C'est rare, mais nous l'avons vécu plusieurs fois : l'instant privilégié où le cétacé vient vers nous, délibérément. Nous sentons son regard posé sur nous, les cliquetis de son sonar explorent notre corps. Curiosité mêlée, nage partagée. Eblouissement. Le temps d'un instant, l'harmonie est recréée.

Enfant dauphin, un symbole! Et s'il y avait de plus en plus d'enfants dauphins, de tous âges, en ville comme à la campagne, sur les rivages comme dans les montagnes. Des explorateurs de l'avenir qui sauraient aussi remonter aux sources, retrouver le respect pour notre planète blessée qui animait les hommes primitifs. Eux marchaient doucement sur la terre mère, en invités et non en conquérants.

Je ne sais si les dauphins, les orques, les globicéphales et les cachalots que nous avons rencontrés sous la surface de la mer se souviennent des enfants de *Fleur de Lampaul*. Nous, en tout cas, n'oublierons jamais ce qu'ils nous ont appris!

«Nous travaillons l'apnée parce que, comme dit Anne, c'est très frustrant de ne pas pouvoir rester sous l'eau plus de quelques secondes. Dix neuf mètres, c'est très profond, mais à la fin de l'expédition j'y arriverai.»
Alice

Frédéric et Moana s'entraînent à décompresser, par quinze mètres de fond. La plongée libre demande une attention soutenue à son compagnon. On ne plonge jamais seul. C'est la base de la sécurité. L'autre règle essentielle est de ne jamais dépasser ses limites : nous sommes là pour le plaisir, pas pour réaliser un exploit !

Crédit photographique :
Toutes les photos illustrant cet album
ont été réalisées par l'équipage de *Fleur de Lampaul*,
et particulièrement par : Nedjma Berder, Charles Hervé-Gruyer,
Joël Leaute, Yves Delhumeau.
À l'exception des photos anciennes illustrant le chapître
«Historique et restauration de *Fleur de Lampaul*»
qui proviennent des collections d'Ar Vag, d'Henri Kerisit
et d'Yves Le Guen. La photo illustrant la préface et les pages
132 à 134 ont été réalisées par François-Xavier Pelletier.
Les illustrations sont de Pascal Robin
Qu'ils soient tous remerciés.

1

*Le marchand de sable est passé...
Où l'on voit comment une ancienne gabare passe
des mains d'un marchand de sable aux mains d'un grand
rêveur, et ce qu'il en coûte de sauver
un bateau pour s'élancer à la rencontre de ses rêves!*

L'HISTOIRE

«Il a été procédé dimanche au baptême de *Fleur de Lampaul*, sorti des chantiers Keraudren de Camaret pour le compte de la famille Le Guen, de Kerievel. Après la bénédiction donnée par l'abbé Martin, recteur, une ample distribution de dragées fut faite par M. Henri Le Guen et Mme Jeanne Le Guen, parrain et marraine, cependant qu'au poste avant un vin d'honneur réunissait divers notables. Dans la nombreuse assistance, on remarquait : MM. Husiaux, Maire, etc...»

«Corentin Keraudren regardait la foule serrée sur le pont : les hommes recueillis autour du curé en surplis, les mômes grimpés dans le gréement. La bénédiction achevée, il remit son éternelle casquette et se laissa aller à la fierté d'avoir construit ce navire superbe, qui faisait aujourd'hui l'admiration de tous. *Fleur de Lampaul* était la plus grande gabare sortie de son chantier, réputé l'un des meilleurs de Bretagne : une longue coque blanche à la fois élégante et volumineuse, d'une robustesse à toute épreuve. Un peu triste, tout de même, Corentin : il manquait quelqu'un à la fête, celui qui avait passé commande du bateau : le père Le Guen était mort avant le lancement. C'était son fils, Yves, récemment rentré de Tahiti, qui allait en prendre le commandement, avec ses frères pour l'équipage; un homme

Le baptême de *Fleur de lampaul* attire une foule nombreuse. Les ouvriers du chantier de Corentin Keraudrun, rassemblés pour la photo, ne sont pas peu fier du travail accompli!

petit mais rudement énergique. Un bon marin.»

Je repose la coupure du *Télégramme*, datée du 9 avril 1948, et regarde une fois de plus les photos jaunies que nous a confiées Yves Le Guen lorsque, trente-huit ans après son lancement, j'ai racheté *Fleur de Lampaul*. À force de contempler ces clichés fanés et grâce aux récits d'Yves, intarissable conteur, nous arrivons à bien nous imaginer leur vie à bord de ce caboteur à voile. Voici le navire arrivant sur les côtes anglaises, toutes voiles dehors, pour livrer un chargement d'oignons. Yves, par souci d'économie, a repoussé à grands gestes le pilote qui venait offrir ses services. Le voilà à quai, déchargeant sa cargaison. Une antique traction, garée là, fait prendre la mesure du temps écoulé. Sur le cliché suivant, *Fleur de Lampaul* rentre dans la rade de Brest, un soir de gros temps. Les vagues déferlent et l'équipage a réduit la voilure. Savait-il, Corentin Keraudren, que ce monde de marins en sabots, de Bretonnes en coiffes, de bateaux de travail aux voiles multicolores vivait ses dernières heures? 1948. L'Europe d'après-guerre travaille d'arrache-pied à reconstruire son avenir. Technologie, productivité sont les nouveaux mots d'ordre. Sur la mer, partout les moteurs ont remplacé le vent. La voile, qui depuis des millénaires faisait avancer les navires, est

abandonnée. Disparus, les fiers trois-mâts... Englouties, les innombrables flottilles de pêche, les sardiniers, les coquilliers. Les derniers thoniers ne portent plus qu'une voilure réduite. Alors, pourquoi Keraudren a-t-il construit *Fleur de Lampaul* avec un gréement complet de *dundee* : foc, trinquette, grand-voile, flèche et artimon, 270 mètres carrés de lourde toile de coton? Certes, il y a dans la coque un petit moteur de 72 CV mais, à quelques détails près, le navire aurait pu être construit identique par François, le fondateur du chantier, à la fin du XIXe. Corentin ne se doutait probablement pas qu'il avait construit l'un des ultimes grands voiliers de charge d'Europe. Et il aurait été bien étonné si on lui avait dit qu'à l'âge où les honnêtes caboteurs prennent leur retraite, *Fleur de Lampaul* appareillerait pour de longs voyages au pays des orques et des cachalots, avec un équipage d'enfants. Mais n'anticipons pas!
En 1948, à Lampaul-Plouarzel, le port

Pour construire *Fleur de Lampaul*, 150 m³ de chêne ont été nécessaires. Au début du XXe siècle, l'art de la construction navale en bois est à son apogée et les derniers voiliers de travail bénéficient d'une tradition millénaire.

d'attache de *Fleur de Lampaul*, cela semble normal d'armer les gabares à la voile. Dans ce petit port perdu tout au bout du Finistère Nord, là où le vieux continent s'émiette en milliers d'écueils, il y a une tradition bien établie de cabotage, c'est-à-dire de transport des marchandises par voie de mer. Lampaul-Plouarzel possède une belle flottille de gabares, qui sont les héritières des caboteurs du Moyen Age, des navires de petit tonnage, simples, aux lourdes coques de chêne particulièrement robustes. Contrairement aux bateaux de pêche, la vitesse n'est pas essentielle et la voile apporte un surcroît de puissance bien appréciable aux gabares lorsque, chargées à bloc, elles doivent rejoindre le port malgré le mauvais temps et les forts courants, fréquents dans ces parages.
Et puis les marins de là-bas ont toujours navigué à la voile et ils ne comprennent pas pourquoi faire autrement : *Fleur de Lampaul* portera les siennes jusqu'en... 1975! Il y a une

autre raison, peut-être : les Bretons de ce petit pays ont la réputation d'être sacrément têtus. C'est le pays d'Astérix, l'irréductible Gaulois! Yves et ses frères prennent possession de *Fleur de Lampaul*. L'intérieur du navire est essentiellement composé d'une vaste cale : elle occupe toute la partie centrale, avec une grande ouverture sur le pont par où se fait le chargement; ouverture fermée en mer par des panneaux amovibles. Devant le grand mât, le capot du poste avant. Pour y descendre, mieux vaut prendre la lampe à pétrole : il y fait sombre comme dans un four! Il y a là quatre couchettes qui ressemblent aux lits clos bretons. Des paillasses remplies de goémon y font office de matelas. Voici le poêle à bois qui sert à faire la cuisine, et la table du carré. À l'arrière du bateau se trouve un autre poste d'équipage qui abrite, lui aussi, quatre couchettes, disposées en U autour d'un coffre qui sert de banc. Le mât d'artimon le traverse. Sur une cloison, à côté du baromètre, une statuette de la Vierge. Puis on accède au poste moteur. Inutile de chercher du confort à bord : il n'y en a pas. L'eau douce est embarquée dans une barrique. Quant aux toilettes, comme sur les bateaux de pêche, c'est un simple trou dans le tableau arrière.

Construire un bateau de cette taille, 21,50 mètres de coque, 30 mètres hors tout, était pour une famille de simples marins une rude entreprise. Après guerre, il était difficile de se procurer les bons matériaux. Les chantiers ne fournissaient pas de devis : entre le début et la fin de la construction, le prix du bateau avait doublé! La famille Le Guen fit donc le tour des amis, commerçants et fermiers, et réussit à emprunter la somme nécessaire. Mais le risque était gros : si la *Fleur* faisait naufrage, c'était la ruine pour tous. Et pas question d'assurer le navire : en ces parages dangereux, les primes étaient beaucoup trop chères! Une seule solution : se retrousser les manches et travailler d'arrache-pied.

Voici la première photo de *Fleur de Lampaul* à sa sortie du chantier. Dans quelques mois, les voiles seront teintes au cachou, et la coque peinte en noir et gris.

***Fleur de Lampaul* rentre dans la rade de Brest, chargée à bloc : un énorme tas de sable dépasse de la cale et, sur le port, les marins ont les pieds dans l'eau.**

Ci-contre : Yves Le Guen qui a commandé *Fleur de Lampaul* durant vingt-sept ans.

En dessous : *Fleur de Lampaul* remontant une rivière, et la fête des gabares, à Lampaul-Plouerzel.

Un langage que les frères Le Guen connaissaient. «Nous avions un bateau du tonnerre entre les mains, se rappelle Yves. Le courage et la chance ont fait le reste.» Il est difficile de se représenter aujourd'hui ce que pouvait être leur bateau pour ces familles de rudes marins : bien plus qu'un simple outil de travail. Il était leur espoir... Un jour, Yves nous a confié avec humour : «Ce bateau, je l'aimais presque autant que ma femme. Peut être même plus, car lui, au-moins, ne m'a jamais menti!»

Premier mai 1948 : grand beau temps, mer calme. Ancrée au-dessus d'un banc de sable par quelques mètres de fond, la *Fleur* effectue sa première journée de travail. La benne, actionnée par un treuil à moteur, plonge au fond de la mer et remonte chargée d'une tonne de sable. Il faut tout l'après-midi pour remplir la cale, le travail avance lentement car Yves et ses frères doivent régler les câbles, apprendre à connaître ce nouvel outil de travail. Mais en fin de journée, bonne surprise : 140 tonnes de sable remplissent la cale. La nouvelle gabare a une grande capacité. La mer lèche le pont tellement le bateau est chargé. Les marques de franc-bord sont «noyées», ce qui n'est certes pas réglementaire, mais les Le Guen n'ont pas résisté à l'envie de charger à bloc leur nouveau bateau, au risque d'être verbalisés par les Affaires maritimes. Hissant les voiles, ils font route vers le port où le sable sera déchargé à même le quai. Les charrettes des paysans et des maçons viendront y chercher ce sable qui servira, selon sa nature, pour la construction ou pour «alléger» la terre des champs. Les jours suivants, le rythme est pris: deux heures suffisent à remplir la cale. Alternant chargements de sable et voyages au cabotage, l'équipage travaille dur, naviguant jour et nuit. La vie était rude en ce temps-là, particulièrement sur les gabares, et Yves se souvient de ces nuits où, bien qu'abruti de fatigue, les soucis lui volaient ses quelques heures de sommeil, tandis qu'autour de lui son équipage ronflait sans demander son reste. Il faut payer le bateau. La mère tient fermement les cordons de la bourse; elle empoche le bénéfice des voyages pour rembourser les créanciers, ne laissant à ses fils que le minimum vital. Une maîtresse femme, et attention, vigilante sur l'état du matériel. Après quatre années à ce rythme, la *Fleur* est remboursée, et Yves commence à respirer.

Cet homme est un fonceur d'une énergie peu commune. Lorsque nous avons fait sa connaissance, il avait soixante-quinze ans et nous avons eu du mal à l'empêcher de grimper dans les haubans de son cher bateau. Nous avons vite compris à quel type d'homme nous avions à faire : un Breton, du genre granit, marin dans l'âme. Depuis l'enfance, sa passion héréditaire c'est les bateaux, les gabares surtout. Sur celle de son père, *le Goéland*, il a appris le métier à bonne école. L'autre école, celle de Jules Ferry, Yves y a passé le moins de temps possible et, devant son insistance, son père l'a embarqué très jeune. La vie d'un mousse sur une gabare paraîtrait incroyablement dure à un adolescent d'aujourd'hui. Pourtant, il ne rêvait pas d'autre chose. Une nuit, Yves avait quatorze ans, l'équipage avait trop fêté l'escale. Les matelots hissèrent les voiles, mais s'affalèrent bientôt, ivres morts, et le jeune Yves se retrouve seul à la barre du *Goéland*, sortant du port de Brest. C'était un bateau de 40 tonnes, sans moteur, où toute manœuvre se fait à la force des bras. Toute la nuit, Yves barra, contournant bien les phares, les courants, les écueils... À l'aube, il jeta l'ancre devant Lampaul et affala tant bien que mal la voilure. Le père passa une tête mal réveillée par le capot et réalisa la situation. «Gare à toi si tu racontes cela à la mère!»

Lorsque Yves prend le commandement de *Fleur de Lampaul*, c'est un marin accompli. Il a hérité de la longue tradition de navigation à voile d'autrefois. Pendant la guerre, il était maître de manœuvre sur un grand

voilier-école. Ses qualités de marin faisaient oublier à ses supérieurs son franc-parler et son caractère entier. Puis il a servi longtemps dans la Royale (la Marine nationale). Maintenant Yves est bien décidé à tirer le meilleur de son nouveau bateau. Son expérience supplée au manque de moyens. Pas d'instrument de navigation à bord de la *Fleur*, hormis le compas et un loch à la traîne. Yves navigue avec... un bout de ficelle! Il lui sert à prendre des alignements sur la carte. Le clocher de tel village par la pointe de tel écueil... Il navigue ainsi au ras des cailloux, empruntant d'étroits chenaux dans les plateaux d'écueils, qui lui permettent de gagner du temps en bénéficiant de courants favorables. Aujourd'hui, plus personne ne navigue ainsi. Ces marins de la voile avaient une science de la mer, des éléments, qui s'est perdue à l'âge des moteurs et de la navigation électronique.

«Amis au bistrot, ennemis en mer». La concurrence entre les gabares est sévère, et les anciens ne voient pas d'un bon œil arriver un nouveau concurrent. Les coups bas, voire les bagarres, ne sont pas rares. Un jour la *Fleur*, toute neuve, remonte avec la marée un étroit chenal de la rade de Brest. Arrive une autre gabare qui, d'un coup de son étrave, pousse l'arrière de la *Fleur* et l'échoue en dehors du chenal. Elle arrive ainsi première à l'écluse, décharge et bénéficie des clients qui attendent. Yves fulmine. Ce n'est pas le genre d'homme à se laisser marcher sur les pieds. «Dorénavant, hurle-t-il à l'autre gabarier, tu ne verras plus que le cul de mon bateau.» Il tint parole : fin manœuvrier, avec un bon bateau et un bon équipage, il réussit toujours à emprunter le chenal le premier. «Mais attention, rappelle Yves, en cas de coup dur, nous étions tous solidaires. Si une gabare coulait, toutes les autres tentaient de la renflouer, oubliant les rivalités.» Ce genre d'accident n'était pas rare, vu la pratique courante de «noyer les marques», dont j'ai parlé. De ces gabares de Lampaul et de la rade de

Brest, il en reste encore aujourd'hui quelques-unes : l'*André-Yvette,* le *Notre-Dame de Rumengol,* la *Fleur de Mai,* l'*Aviateur Mermoz,* le *Dieu protège,* le *Mad Atao...* Une fois par an, la fête des gabares rassemblait à Lampaul les équipages, leurs familles et leurs amis. Après la traditionnelle régate, bien arrosée, *Fleur de Lampaul* mettait le cap sur l'île de Ouessant. Pas moins de 80 personnes à bord pour cette virée!

Durant vingt sept ans, les frères Le Guen vont mener *Fleur de Lampaul.* Bien sûr, durant cette période le monde se transforme, le bateau est aussi adapté au contexte économique. La *Fleur* exécute d'abord les trafics des anciens voiliers, qui vont peu à peu disparaître, tel l'exportation des primeurs bretons vers l'Angleterre. Yves s'en souvient bien : «Tous les ans jusqu'aux années 1958-1960, nous faisions quelques voyages en Angleterre. En 1948 et 1949, nous étions très pris par le sable. Il servait à la reconstruction de l'Arsenal de

Brest. Très peu de cabotage. 14 novembre 1948 : un chargement d'oignons de Roscoff à Torquay. 2 mars 1949 : un chargement de pavés de l'Ile Grande à Dunkerque. 8 mai 1949 : un chargement de ciment à Boulogne pour Landerneau. À partir de 1950, nous avons commencé à faire davantage de cabotage. En mai, c'était les pommes de terre : 3 à 4 voyages. En juillet, c'était les oignons: 4 à 5 voyages.»

Fleur de Lampaul ravitaillait les îles : Sein, Ouessant, Molène. «À l'époque, ces îles étaient très isolées, raconte Yves. Un dimanche, nous arrivons à Ouessant avec un chargement de diverses. Eh bien, les habitants ne voulaient pas nous aider à décharger: on ne travaille pas le dimanche! Il a fallu la permission spéciale du recteur pour qu'ils s'y décident!»

En dehors du sable et du cabotage, ils saisissent les occasions qui se présentent. «Un soir, nous finissons de décharger lorsqu'on nous demande de ravitailler un cargo à l'ancre

Fleur de Lampaul vient à Noirmoutier charger du sel, un trafic vieux de quinze siècles.

devant Brest. Fatigués, nous embau-
chons quelques dockers pour nous
aider. Vers 2 heures du matin, nous
avons enfin terminé. Mais pas question d'aller dormir : il fallait se
rendre à Noirmoutier, encore vingt-
quatre heures de mer! Une fois au
large, je demande à mon frère
Jacques d'aller me faire un café. Il
remonte en me disant :
– Pas de café, Yves, tu auras du vin.
– Du vin? Mais je voulais du café!
– Mais il n'y a plus une goutte d'eau à
bord : les dockers ont volé tout le vin
destiné au cargo, ils ont même vidé
nos réserves d'eau douce pour les
remplir de rouge!»

La *Fleur* arriva quand même à l'île de
Noirmoutier, qui se livrait à un trafic
vieux de quinze siècles, le transport
du sel. Depuis l'époque gallo-romai-
ne, l'île exporte cette précieuse den-
rée. Lorsque les camions ont
remplacé les derniers caboteurs, une
page de l'histoire maritime de la
région fut définitivement tournée.

«Vers 1958, continue Yves, le trafic
par bateau s'est progressivement
arrêté, pour être remplacé par les
camions. Le transport par mer
offrait plus de risques. Le bateau
chargé, pas question de dire : il fait
mauvais, je vais relâcher en atten-
dant une accalmie. Il n'y avait qu'une
solution : faire route dans la plume.
En ce qui me concerne, je n'ai jamais
relâché, toujours fidèle au rendez-
vous. Aussi avions nous la cote
auprès des affréteurs. Il fallait y aller,
les risques étant compensés par un
bon frêt.

«Un de nos derniers chargements, il
était temps qu'on arrive. Depuis
Noirmoutier jusqu'à Brest, une
sacrée piaule de N.-O. tout au long
du trajet. Écoutilles et panneaux
étaient condamnés du départ jusqu'à
l'arrivée. On ne pouvait pas aller sur
le pont, tout était balayé par les
paquets de mer. Nous naviguions au
moteur et à la grand-voile avec des
tours de rouleaux. En arrivant en
rade de Brest, les coutures de la
voile commençaient à lâcher. Ce
petit coup dur et bien d'autres font
partie du métier. La *Fleur de Lampaul*

**Un caboteur,
c'est essentiellement une vaste
cale remplie,
selon les occasions, des
marchandises les plus diverses.
Chargée à bloc,
un jour de gros temps,
ou bien à lège,
Fleur de Lampaul
garde l'élégance des navires
traditionnels.**

a souvent fait preuve de sa fiabilité :
ça c'est un bateau!»

1975. Les années ont passé. Yves et
Jacques ont atteint l'âge de la retraite. À eux deux, ils continuent à
mener la *Fleur*, comme au temps de
leur jeunesse. Mais les temps ont
changé. La plupart des gabares ont
disparu, coulées ou désarmées.
L'époque de la voile au travail est
depuis longtemps révolue. Yves et
Jacques, pourtant, hissent chaque
jour la grand-voile rouge. En Europe
et dans le monde, peu de navires de
travail utilisent encore la force du
vent. Leur bateau a évolué. Il a été
doté d'une timonerie, d'un moteur
de 120 CV (encore en place aujour-
d'hui). Les voiles les plus difficiles à
manœuvrer, comme le foc, le flèche,
puis l'artimon, ont été progressivement supprimées. Mais il faut bien se
résoudre à passer la main et, tristement, les Le Guen mettent en vente
leur cher bateau.

«Vous savez, quand on a commandé
pendant vingt-sept ans un si joli
bateau, qui en toutes circonstances
ne vous a jamais dit «non», quand
vous le revoyez, ça vous fait quelque
chose !», nous écrira Yves lorsque, 10
ans plus tard, il retrouvera *Fleur de
Lampaul*.

François Bescond, patron sablier de
l'aber Benoît, rachète le bateau. Son
fief, à quelques dizaines de kilomètres de Lampaul-Plouarzel, n'a
rien à lui envier, pour ce qui est des
écueils et des courants. François
semble lui aussi taillé dans le granit.
C'est un travailleur acharné, mais
également un homme plein d'humour, curieux de tout, qui suscite
immédiatement la sympathie. Son
sac de marin est rempli d'histoires
de la marine en bois. Dans son enfance, avec une barque et deux vaches,
il fallait faire vivre une famille de dix
enfants. Aussi a-t-il commencé à
naviguer très jeune, sur le goémo-
nier de son père. Ça forme le caractère.

François a, le premier, commencé à
faire le trafic du sable dans la région
de l'aber Benoît. En bon précurseur,
il voulait des bateaux efficaces et

économiques, et il se définit lui-même comme un «ravageur de voiles». Il rachète d'abord l'*Aulne*, une jolie gabare, coupe son grand mât et la modernise. Son entreprise prospère. Il faut remplacer l'*Aulne*, désormais trop petite. François rachète alors *Fleur de Lampaul*.

«Quand j'ai ramené la *Fleur* à l'aber Benoît, se rappelle-t-il, nous avons envoyé les voiles une dernière fois. Mais de la timonerie, on ne voyait que les étoiles. J'en ai donc construit une autre, aussi esthétique que possible. Nous avons raccourci le mât et la voile a servi à faire une bâche.»

C'est un tournant dans l'histoire de ce bateau. La nouvelle timonerie, haute et volumineuse, achève de défigurer le bateau. La *Fleur* ressemble à une sorte de péniche flottante; de grosses ferrures sont soudées là où la benne, martelant jour après jour, blesse le bois. Seules, les lignes élégantes de la coque rappellent le fier voilier d'autrefois.

Les gabares sont conçues pour accéder aux plus petits ports et pour s'échouer avec leur chargement. Elles ont donc un faible tirant d'eau et sont construites de façon particulièrement robuste.

Deux fois par jour, menée par deux marins, *Fleur de Lampaul* décharge 120 tonnes de sable au quai qu'a construit François. Robuste, économique, ce n'est plus qu'un sablier comme les autres, un outil de travail au service d'une entreprise en expansion. C'est le cours des choses, inutile de le regretter : si ce bateau n'avait pas été adapté au contexte socio-économique, il aurait disparu, comme tant d'autres, pourri sur une vasière, découpé comme bois de chauffage ou démoli par les bulldozers d'une municipalité inconsciente. Des navires plus importants rejoignent l'entreprise de François. La *Fleur* est progressivement moins utilisée, puis désarmée sur une vasière durant deux ans, au fond de l'aber Benoît. Et puis François atteint l'âge de la retraite ; il décide de vendre son bateau. Mais à qui, à l'un des concurrents? Non, François a déjà depuis longtemps sa petite idée là-dessus. Son rêve : que des jeunes lui rendent ses ailes, à son voilier!

LA RESTAURATION

Je me souviendrai toujours de la première rencontre avec François Bescond. Une petite annonce dans la revue *Le Chasse Marée*, un coup de téléphone et nous arrivions, au bord de l'aber Benoît. François nous attendait dans son petit canot vert, au nom imprononçable pour qui n'est pas né au fond du Finistère : AR-SKREO. Il nous a serré la main sans rien dire, avec son sacré sourire, et a mis le cap vers la vasière. Au bout de cinq minutes, nous nous tutoyions.

La voilà donc, la *Fleur de Lampaul*! Toute seule et comme abandonnée. Qu'elle était grande! Je vous assure qu'en plissant un peu les yeux et en faisant abstraction de la timonerie, du gréement tronqué, bref de tout de qui la défigurait, nous nous représentions le beau navire qu'elle pouvait redevenir.

Bien sûr, un esprit raisonnable aurait remarqué que le dernier coup de peinture remontait à une époque indéterminée, mais sûrement lointaine, et que l'ensemble semblait délabré. Inquiétantes, les marques profondes creusées par les coups de benne sur le côté babord. Le pont était troué par endroits. D'énormes ferrures, partout, pissaient la rouille. Le poste avant et le poste arrière étaient sombres et humides comme des cavernes. Néanmoins, ces cavernes semblaient spacieuses. Le

Fleur de Lampaul est à vendre, désarmée sur une vasière de la rade de Brest. Après trente-sept ans de bons et loyaux services, il est loin le temps de sa splendeur!

moteur, un bloc de rouille, tournait pourtant, avec un vacarme assourdissant. Mais le bateau flottait, ce qui est quand même l'essentiel, et François nous assura que la coque était saine.

Comment acheter une telle... galère? Surtout, ne pas réfléchir! C'est une action folle par essence, un rêve de gosse que l'on décide de réaliser, une fois dans sa vie. Si l'on commence à estimer la masse de problèmes potentiels, à regarder en arrière... Pour cette énorme coque que je n'avais vue qu'une heure, j'ai vendu *Gwendivik II*, moderne et confortable dériveur intégral en acier, que nous avions construit avec amour et qui nous avait menés sur bien des mers. La décision la plus risquée, la plus déraisonnable, la plus folle de ma vie, je ne l'ai jamais regrettée.

J'écris «nous», car le projet de racheter un tel bateau n'est pas de ceux que l'on mène seul. Marc en fut copropriétaire les premiers mois. Des amis de longue date ont participé au mémorable convoyage de *Fleur de Lampaul* depuis l'aber Benoît jusqu'à Noirmoutier, où eut lieu la restauration, le 15 octobre 1985. Ces amis, Yves, Michel, Gilles, furent le noyau de départ de l'Association *Le Taillevent* qui allait prendre en main la destinée du bateau. Le sauvetage, la restauration, puis le fonctionnement de la *Fleur* n'auraient jamais été possibles sans la participation enthousiaste et généreuse de tant de gens, jeunes et vieux, amis de toujours ou inconnus séduits par l'idée de rendre vie à un si beau navire.

Sauver un bateau n'était pas pour l'Association *Le Taillevent* une fin en soi. Un navire unique qui reste à moisir au fond d'un port n'a pas grand intérêt. Nous voulions que *Fleur de Lampaul* entame une nouvelle carrière. Mission culturelle, d'une part : protéger le patrimoine maritime français, et éducative, d'autre part. Nous désirions que la *Fleur* devienne le bateau des enfants. Quelles possibilités fabuleuses offrait *Fleur de Lampaul*, par sa taille et sa personnalité! Elle pourrait devenir une véritable petite base d'étude itinérante, pour des expéditions lointaines...

C'était un objectif très motivant et nous en avions bien besoin pour galvaniser les énergies et réussir le projet. Car il faut avouer que rendre la vie à *Fleur de Lampaul* était une tâche très au-dessus de nos moyens. Le seul atout réel dont nous disposions était un enthousiasme et un optimisme à toute épreuve. Jamais aucun de nous n'a évoqué un possible échec du projet cela ne nous venait même pas à l'esprit. Mais que de difficultés à surmonter! En octobre 1985, nous n'étions que 3 ou 4 à y croire. L'Association *Le Taillevent*, nouvellement créée, n'avait pas un centime. Quant à moi, propriétaire du bateau et responsable des frais de sa restauration, je n'avais pour y faire face que la vente de mon fidèle *Gwenvidik II*, ce qui me permettait juste de démarrer... Ajoutez à cela qu'aucun de nous n'avait l'expérience d'un tel bateau. Nous n'avions jamais navigué sur un gréement aurique, le type de voilure de la Fleur! Nous ignorions tout de la charpente de marine, de la mécanique, de l'art de gréer un voilier ancien... Et pardessus tout, le bateau était tellement gros et tellement délabré que nous ne savions par quel bout commencer: c'était un chantier colossal

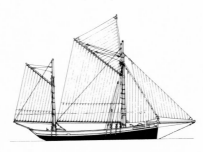

1er Stade : 1948-1952
Fleur de Lampaul dans son aspect initial. Gabare construite en 1948 chez Corentin Keraudren à Camaret. 1er Patron, Yves Le Guen de Lampaul. Moteur Baudouin de 80 cv., treuil à moteur pour charger sa cale. Principale activité : transporter du sable, des fruits et des primeurs. Équipage : 4 hommes.

2e Stade : 1952-1958
Premières modifications : Moteur de 120 cv.; construction de sa première timonerie, artimon réduit. L'ouverture de la cale est agrandie et l'hiloire surélevé pour une plus grande capacité de charge. Transport de sel et naissins de moules depuis Noirmoutier. Instruments de navigation : compas, loch à traîne et sonde à main.

3e Stade : 1958 - 1975
Fleur de Lampaul fait un peu de trafic avec Sein et Ouessant, et transporte du sable. Le bout-dehors a disparu, la voile d'artimon devient marconi. Le grand mât en bois est remplacé par un mât de thonier en acier plus court. En 1973 Le Guen prend sa retraite. Le bateau est désarmé pendant 2 ans.

qui allait demander plusieurs dizaines de milliers d'heures de travail!

Nous allions apprendre qu'en face d'une tâche qui nous dépasse, il ne faut pas envisager d'un coup tous les problèmes à venir, sous peine de se décourager. Il faut se retrousser les manches et commencer modestement par le début. Après quoi, les étapes se franchissent plus aisément que l'on aurait pu l'imaginer. Il semble d'ailleurs que *Fleur de Lampaul* soit placée sous une bonne étoile, et que nous ayons eu énormément de chance. Le point le plus encourageant, lors de cette restauration, fut la confiance, l'amitié, le soutien inconditionnel de François Bescond et d'Yves Le Guen. Ils ont été nos guides, je dirais même nos modèles. Nous étions bien différents d'eux, avec nos enfances citadines, passées loin de la mer, sur le banc des écoles. Nous étions jeunes et inexpérimentés. Ils nous ont conseillés et stimulés par leur énergie et leur enthousiasme. Mieux, ces intarissables raconteurs d'histoires nous ont fait vivre un passionnant voyage dans le passé. Grâce à eux, nous avons pu revivre la genèse de *Fleur de Lampaul*, nous transporter dans le monde de la marine en bois dont nous ignorions tout. Concrètement, l'histoire de notre bateau a pu être fidèlement retracée et, grâce à Yves surtout, et à la coopération efficace et désintéressée de la revue *Le Chasse-Marée* et d'Henri Kérisit, de nombreux documents ont pu être retrouvés. C'est ainsi que la *Fleur* a pu être remise exactement dans son état d'origine, sa silhouette et son gréement parfaitement identiques à ce qu'elle était le jour où Corentin Keraudren l'a lancée, en avril 1948.

La restauration a commencé par le nettoyage du bateau : démolir les anciennes cloisons, sortir des mètres cubes de poutres, vider des tonnes de sable mêlé au gazole et à l'eau des fonds. Gratter des centaines de mètres carrés de coque et de vaigrage jusqu'au bois sain. Brûler au chalumeau les anciennes peintures accumulées au fil des ans en strates épaisses et multicolores. Quelques mois de labeur très ingrat, au bout desquels, la *Fleur*, entièrement vidée depuis l'étrave jusqu'à l'arrière ressemblait à une énorme baleine. La superbe charpente de la coque, le tracé des membrures, mises au jour pour la première fois depuis quarante ans, ressemblait aux côtes de ces gros cétacés qui allaient devenir notre passion. Bonne surprise, confirmée par l'expert du bureau Véritas : la charpente de la *Fleur* est parfaitement saine et exceptionnellement robuste. 70 tonnes de chêne, prêt à naviguer encore un siècle !

L'ouverture de la cale fut fermée. Le bateau fut lesté, 26 tonnes de béton coulées dans les fonds afin de lui assurer une bonne stabilité. Le pont et les capots ont été refaits. Puis, nous avons commencé les aménagements. Pour les réussir , il faut d'abord savoir à quoi on destine le bateau. Pour la *Fleur*, nous voulions garder beaucoup de volume dans la cale afin qu'elle puisse servir de lieu d'exposition en été. Aujourd'hui, elle peut accueillir à son bord une cinquantaine de personnes. En hiver, il fallait que le bateau serve de lieu de vie à une équipe d'une douzaine de personnes. Après plusieurs mois de réflexions et de discussions passion-

4e Stade : 1975-1985
Second Patron : François Bescond
de l'Aber Benoît.
La voile a entièrement disparu,
nouvelle timonerie plus haute et
habitable. 2 hommes à bord
assurent deux rotations par jour.
Un treuil plus puissant,
de 40 cv. actionne le crapaud
qui permet un chargement
plus rapide et le bateau travaille
toujours.

5e Stade : 1985 & demain
La restauration.
En octobre 1985, *Fleur de Lampaul*
rachetée est confiée
à l'association *Le Taillevent*
qui le restaure
pour accomplir sa mission.
Ce fier voilier est retourné
à son premier stade : gréement,
voilure, plan de pont,
***Fleur de Lampaul* a rajeuni**
de 40 ans.

nées (et parfois houleuses), la solution retenue fut celle d'un grand volume central qui regroupe deux carrés, la cuisine, la cambuse et divers rangements et bibliothèques. Quatre cabines seulement, deux grandes et deux petites. Un cabinet de toilette (avec un lavabo et une baignoire en bois!). La salle des machines est séparée de l'avant du bateau par une cloison étanche. La table à cartes et les instruments de navigation se trouvent dans le poste arrière.

À la fin du chantier eut lieu la réfection de la coque : reclouage et calfatage pour l'étanchéité. Un travail particulièrement épuisant qu'il faut faire à marée basse, allongé parfois dans un filet d'eau glacial. Le goudron employé pour le bois (le coaltar), brûle la peau et les yeux.

Plus satisfaisant, mais beaucoup plus complexe : la fabrication du gréement, c'est-à-dire les mâts, le bout-dehors, les haubans (les câbles qui les tiennent) et la voilure. Nous tenions à respecter scrupuleusement les dimensions et les techniques d'origine. Mais, pour cela, il faut les connaître! D'où une longue enquête auprès des anciens. Retrouver des gestes oubliés depuis des décennies, fabriquer nous-mêmes nos outils, faire mettre en fabrication certains matériaux, tout ceci fut pro-

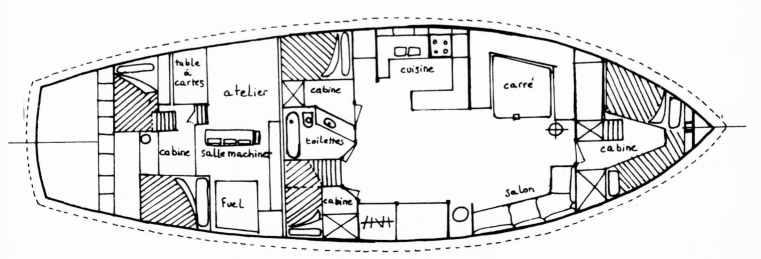

fondément satisfaisant. Voir un vieux marin de quatre-vingts ans retrouver peu à peu les gestes du gréeur et les apprendre à un adolescent, n'est-ce pas cela, sauvegarder le patrimoine maritime ?

Mais qu'il est gros et lourd, ce gréement! Nous avions du mal à réaliser ses dimensions. Pour la *Fleur*, qui pèse cent tonnes, il fallut abattre dans une forêt de Normandie les arbres de la mâture. Un pin de cent vingt ans devient son grand mât. Une fois fini, ce mât pèse trois tonnes! La grand-voile, avec ses espars, pèse une tonne! Il fallut rechercher partout les énormes poulies anciennes, plus d'une centaine, nécessaires. La voilure fut cousue en partie à la main, selon les anciennes techniques, dans un tissu spécialement importé d'Ecosse. Les forgerons fabriquèrent les robustes ferrures des mâts et de la coque. En définitive, après avoir surmonté des difficultés de tous ordres, *Fleur de Lampaul* a retrouvé son superbe gréement de *dundee*, un type de voilure mis au point par des siècles d'expérience, aussi beau que fonctionnel.

Il y eut aussi, bien sûr, les innombrables travaux sur le moteur, le gouvernail, la fabrication d'une grande barre à roue, les pompes, les équipements à acheter et installer... Au fil des mois, la *Fleur* s'embellissait, retrouvait sa fière silhouette de grand voilier. Nous étions de plus en plus épuisés, mais le but se rapprochait lentement : bientôt, notre bateau retrouverait l'eau salée du grand large! Nous nous imaginions la haute étrave fendant les eaux bleues et propres, et cela nous donnait du courage. Curieusement, nous avons rencontré beaucoup moins de problèmes techniques que je n'aurais cru au départ. Ces anciens voiliers de travail étaient des bateaux simples. Rien à voir avec la sophistication des voiliers modernes. Simple ne veut pas dire mauvais, bien au contraire : ces bateaux polis par des générations de

Restaurer un navire en bois, c'est faire un voyage dans le passé, retrouver les tours de main et le savoir des anciens.

Une longue étude, les conseils de ses premiers patrons et des vieux marins ont permi de restaurer scrupuleusement *Fleur de Lampaul*.

Des mâts, des pins sylvestres, ont été abattus dans une forêt de Normandie. Le grand mât a cent vingt ans et pèse trois tonnes.

marins étaient parfaitement adaptés à leur fonction et à leur environnement, faits de matériaux économiques et directement tirés de la nature : le bois, le fer, le chanvre, le coton...

En fait, la restauration fut bien davantage une aventure humaine que technique. L'aventure d'une équipe hétéroclite qui s'attelle à un projet démesuré. Et qui réussit. Ont travaillé à ce chantier tous ceux qui voulaient mettre la main à la pâte, quel que soit leur âge et leur provenance. La *Fleur* a le chic pour mêler les gens les plus divers : un artiste peintre, des chômeurs, un paludier, deux clochards et de jeunes délinquants confiés par la justice, un plombier à la retraite, des lycéens et des étudiants, des marins... Il y eut quelques personnages extraordinaires, comme Michel, monté à bord pour une visite de quelques minutes et qui y resta pendant cinq mois, abattant un boulot considérable.

Mais ce chantier n'aurait pu aboutir sans la persévérance de quelques uns: Yves, qui se dépensa sans compter durant quatre ans à bord, et Henri, le charpentier de marine le plus gentil de tout l'ouest. Nous travaillions avec lui depuis mon premier bateau, et c'est tout naturellement que la *Fleur* fut amarrée au pied de son atelier, dans le vieux port de Noirmoutier. Henri supporta avec le sourire et une patience angélique notre turbulente équipe. Sourire un peu crispé lorsque nous désaffûtions, voire égarions ses précieux outils. Henri, avec les autres artisans du port, a accompli la partie techniquement la plus difficile du travail, et nous a guidés pour le reste. Il y aurait mille et une anecdotes à raconter sur ce chantier. Le travail n'a jamais cessé, malgré deux hivers très rigoureux. Ceux qui se lamentent sur la jeunesse actuelle auraient été surpris par le courage, la persévérance et la générosité de cette petite et très jeune équipe (à bord de la *Fleur*, en chantier puis en navigation, la moyenne d'âge de l'équipage a pratiquement toujours

été de dix-huit ans !) et composée en partie d'adolescents . Le chantier ressemblait alors à un goulag. Le bateau était couvert de neige. Un poêle à bois maintenait la température à 1°C au dessus de zéro. À la nuit, nous rejoignions, à pied ou à vélo, la maison louée à quelques kilomètres de là. Oh, ces retours sinistres, il faisait moins 5°C ou moins 6°C dans la maison, faute de chauffage! Tout était gelé, même les WC !

La restauration a été menée à un rythme ultrarapide : un an et demi seulement, environ 20 000 heures de travail. Pourquoi si vite? Essentiellement parce que, faute d'argent, il fallait que le bateau s'autofinance, donc soit rapidement opérationnel. Le premier été fut organisé, dans la *Fleur* à quai, une exposition sur son histoire. Ce fut un succès et les pouvoirs publics, qui au début ignoraient voire contrariaient notre expérience, ont commencé à la voir plus positivement. La deuxième année, la municipalité de Noirmoutier, le département de la Vendée et surtout la région des Pays-de-la-Loire ont apporté leur soutien.

Une grande joie, en ce second hiver *Fleur de Lampaul* est classée monument historique, à l'unanimité de la commission! *Le Taillevent* participera ensuite au concours annuel des monuments historiques, pour les

La coque a été entièrement reclouée et calfatée. Plusieurs bordés de chêne ont été changés.

Après quarante ans de dur labeur, la coque est étonnamment bien conservée. *Fleur de Lampaul* **est construite du bois dont on fait les centenaires!**

chantiers de jeunes, et remporta le premier prix régional et le deuxième prix national.

Ces encouragements venaient à point. Nous en avions bien besoin, car la fin du chantier tournait au cauchemar. À force de rencontrer problème après problème et de travailler comme des forcenés, nous n'en pouvions plus. L'ambiance à bord, habituellement bonne, était aussi traversée de crises et de conflits. L'équipe s'amenuisait, les motivations se lassant. Dans la dernière ligne droite, il ne restait qu'une poignée de fidèles, malades, épuisés, déprimés. (Ne croyez pas que je noircis le tableau!) Les journées de travail grignotent les nuits. Les contretemps s'accumulent. Notre bonne étoile semble partie briller sous d'autres latitudes.

Et puis, comme toujours, de fidèles amis arrivent à la rescousse, et grâce à eux tout se met en place. L'aube du grand jour se lève. Fin du suspense : le soleil brille dans un ciel radieux, pour cette première Fête du port. Tous les artisans, les marins, tous ceux qui travaillent en relation avec la mer sur l'île y participent activement. Durant l'après-midi, 10 000 personnes déambulent sur les quais qui n'ont probablement jamais vu autant de monde. Pour nous, le grand moment arrive et l'émotion nous serre la gorge. Sur le bateau, entourés de tous côtés par une foule compacte, Yves Le Guen et François Bescond racontent leurs vies de labeur. Puis, alors que l'orchestre entonne un chant à hisser, ils envoient les voiles avec une énergie incroyable. Ils sont rayonnants, aussi heureux que nous!

Le 30 avril 1987, à 6 heures, les amarres sont larguées. La *Fleur* glisse dans l'étroit chenal, gagne la mer. La lourde coque, si longtemps immobile, se balance sur les premières vagues. Les voiles sont envoyées, le moteur coupé. *Fleur de Lampaul* revit sous la seule caresse du vent. Tout marche, mieux que nous n'osions l'espérer. Le navire avance plus vite, évolue mieux que prévu. Tandis que la *Fleur* trace doucement son sillage vers le large, je m'allonge sur le pont. Épuisé, mais plein d'une satisfaction que je n'avais jamais éprouvée auparavant.

Les mois suivants passent à toute allure. Nous apprenons à connaître la *Fleur*. Elle nous révèle sa personnalité. Et Dieu sait si elle en a! Nous apprenons à manœuvrer un grand voilier ancien, où tout se fait à la force des bras. Au début, nous n'avions même pas de guindeau (treuil), et relever la plus petite de nos ancres demandait une heure d'efforts épuisants! Pour hisser la

Pèlerinage aux sources : *Fleur de Lampaul* retourne sur ses anciens lieux de travail, ses premiers patrons à la barre. Moments chargés d'émotion lorsque Yves Le Guen retrouve son cher navire... En été, *Fleur de Lampaul* charge sa cale d'un trésor : des milliers de livres! une belle cargaison pour l'ancien caboteur.

grand-voile, il fallait se suspendre à quatre sur chaque drisse. Mais c'est beaucoup plus amusant qu'un bateau moderne! Un vrai travail d'équipe avec en prime le fabuleux spectacle d'un vieux gréement taillant puissamment sa route. La première croisière le ramène, bien sûr, dans ses eaux natales; un pèlerinage sur ses anciens lieux de travail. À la barre, Yves et François (je ne sais qui était le plus heureux, d'eux ou de nous?), et à chaque escale des fêtes mémorables. Quel étrange sentiment que se sentir aussi proche de ces hommes et aussi liés par ce bateau que tous nous aimions!

L'été suivant, la *Fleur* accomplit son premier gros contrat. Affrétée par la librairie Beaufreton, en association avec 35 éditeurs, elle embarqua 15 000 livres pour une tournée des ports : La croisière du livre. En deux mois, 120 000 personnes visitèrent le bateau. Cette tournée, la première de ce genre, fut un succès et donna à *Fleur de Lampaul* sa nouvelle vocation estivale : celle de bateau-livre. Dorénavant, chaque été la cale se remplira de livres, une merveilleuse cargaison. Ces contrats ont permis à l'Association de survivre financièrement, plutôt mal que bien, mais ils ont rendu possible le projet qui nous tenait à cœur : emmener quelques enfants au pays des baleines.

2

*Où l'esprit de famille
nous conduit à la découverte des
Ziphiidès, des Sténidès,
des Eschrichtiidès
et autres Platanistidès...*

RORQUAL À MUSEAU POINTU
balaenoptera acutorostrata

Plus couramment appelé «Petit Ror-qual», sa taille varie de 8 à 10 m pour un poids de 6 à 8 tonnes. Comme chez toutes les baleines à fanons, les femelles sont plus grandes que les mâles. Outre sa «petite taille» et sa silhouette trapue, il se différencie des autres Baleinoptéridés par la couleur jaune de ses fanons.

On le rencontre dans tous les océans et sous toutes les latitudes : cet ani-mal solitaire se déplace assez lente-ment (2 à 4 nœuds). Il est encore chassé commercialement.

RORQUAL COMMUN
balaenoptera physalus

Les mâles peuvent mesurer jusqu'à 21 m de long et les femelles jusqu'à 25 m, pour un poids compris entre 35 et 45 tonnes.

Le Rorqual Commun a été chassé à partir de 1930 pour devenir dans les années 60 la principale espèce com-merciale... Ce qui lui a fait subir de graves dommages. Aussi la popula-tion totale dans le monde ne dépasse sans doute pas 70 000 à 80 000 indivi-dus. Le plus souvent solitaire, il reste en général loin des côtes et se dé-place à un vitesse moyenne de 8 à 10 nœuds, pouvant atteindre 18 à 20 nœuds en vitesse de pointe.

BALEINE DE CUVIER
ziphius cavirostris

Souvent appelé Ziphius, il mesure 6 à 7 m maximum, pour un poids moyen

de 3 tonnes. Le ziphius est remar-quable par les deux dents, à l'extré-mité de la mâchoire inférieure, qui pointent hors de la bouche.

Réunies en petits troupeaux de 15 à 25 animaux, les Baleines de Cuvier se déplacent à faible allure (3 nœuds environ), dans tous les océans, au-dessus des fonds dépassant 1 000 mètres. Pour aller chercher les cal-mars mais aussi des crabes, des étoiles de mer ou des poissons des profondeurs, elles effectuent des plongées d'une trentaine de minutes à près de 300 m de profondeur.

DAUPHIN BLEU ET BLANC
stenella caeruleoalba

Sa taille moyenne est de 2,40 m à 3 m pour un poids d'une centaine de kilos, ce qui lui donne une silhouette élancée. On le trouve dans toutes les eaux chaudes et tempérées du Paci-fique et de l'Atlantique.

Ce mammifère se déplace par bandes d'une dizaine à plusieurs centaines d'individus, avec une vi-tesse de nage pouvant dépasser 20 nœuds; on a même observé des bancs de 3 000 individus. Voyageant souvent avec des thons, de nombreux stenellas périssent dans les filets à thon; de plus, un grand nombre de ces ani-maux sont capturés par les Japonais qui en apprécient la viande. Il saute souvent hors de l'eau et il est attiré par les navires contre lesquels il vient jouer, particulièrement dans la vague d'étrave.

LES CÉTACÉS OBSERVÉS PAR
FLEUR DE LAMPAUL

GRAND DAUPHIN
(TURSIOPS TRUNCATUS)
taille : 4 mètres

BALEINE À BEC DE CUVIER
(ZIPHUIS CAVIROSTRIS)
taille : 6,5 mètres

GLOBICEPHALE TROPICAL
(GLOBICEPHALA MACRORHYNCHUS)
taille : ≃ 5 mètres

GLOBICEPHALE NOIR
(GLOBICEPHALA MELAENA)
taille : 6,5 mètres

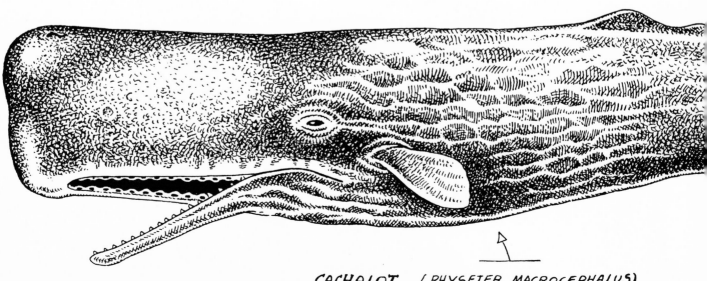

CACHALOT (PHYSETER MACROCEPHALUS)
taille : jusqu'à 18 mètres ♂

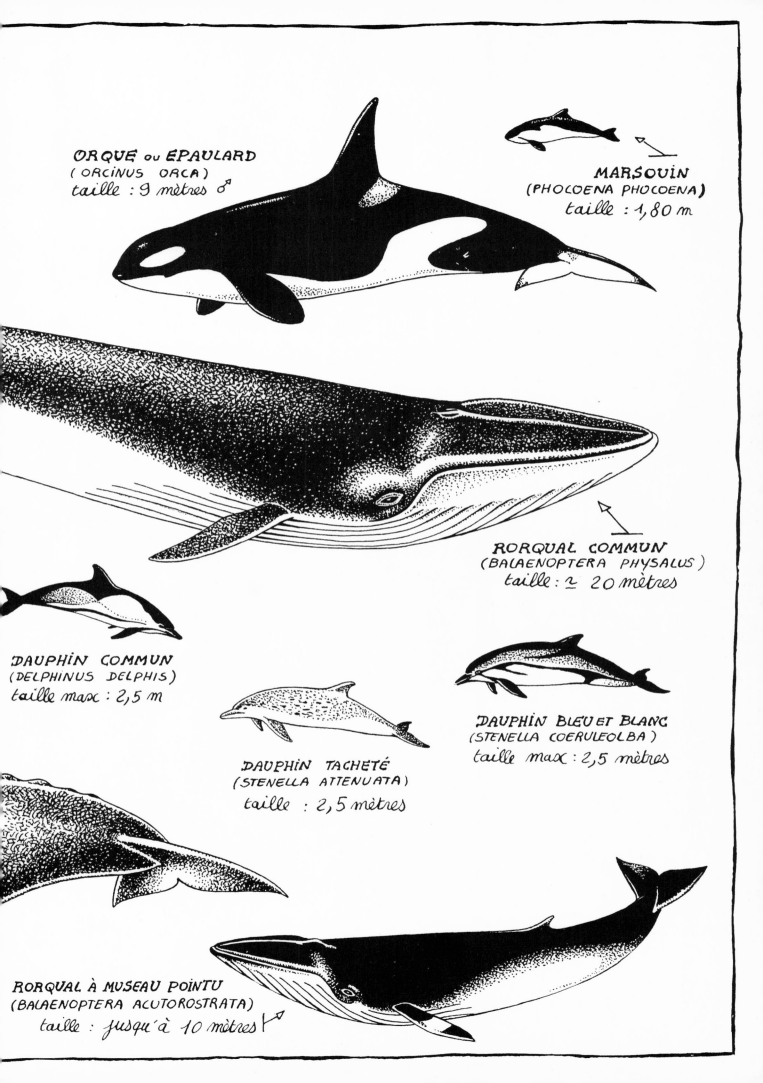

ORQUE ou EPAULARD
(ORCINUS ORCA)
taille : 9 mètres ♂

MARSOUIN
(PHOCOENA PHOCOENA)
taille : 1,80 m

RORQUAL COMMUN
(BALAENOPTERA PHYSALUS)
taille : ~ 20 mètres

DAUPHIN COMMUN
(DELPHINUS DELPHIS)
taille max : 2,5 m

DAUPHIN TACHETÉ
(STENELLA ATTENUATA)
taille : 2,5 mètres

DAUPHIN BLEU ET BLANC
(STENELLA COERULEOLBA)
taille max : 2,5 mètres

RORQUAL À MUSEAU POINTU
(BALAENOPTERA ACUTOROSTRATA)
taille : jusqu'à 10 mètres

DAUPHIN COMMUN - *delphinus delphis*
Son corps est harmonieusement proportionné : 2 m pour 80 kilos. De mœurs grégaires, les troupeaux varient de plusieurs dizaines à plusieurs centaines d'individus. On le trouve dans toutes les eaux chaudes et tempérées. Il paye un lourd tribut aux pêcheurs de thons. Se déplaçant à une vitesse pouvant être supérieure à 25 nœuds, il aime aussi venir jouer dans l'étrave des navires. Il se reproduit par au moins 10 m de fond et les naissances surviennent en été.

GRAND DAUPHIN OU SOUFFLEUR
tursiops truncatus
Les souffleurs se trouvent près des côtes : ils chassent dans les eaux de 2 m de profondeur, et même dans les estuaires. Ils font parfois preuve d'une coopération inhabituelle pour des animaux, surtout vis à vis des jeunes, s'entraidant pour se nourrir, ou pour la défense du groupe contre les requins qu'ils harcellent à coup de tête dans l'abdomen.
Sa capture par les Japonais pour la consommation, la pollution côtière et la pêche excessive des poissons qui lui servent d'aliment, mettent sa survie en danger.

DAUPHIN TACHETÉ - *stenella attenuata*
On le trouve dans les eaux chaudes et tropicales autour du monde. Ils sont hélas les victimes des pêcheurs de thons, en particulier dans le Pacifique. Les Dauphins tachetés vivent en bandes pouvant compter plusieurs centaines d'individus, voire plusieurs milliers. Ce sont d'excellents nageurs qui aiment sauter hors de l'eau.

GLOBICÉPHALE NOIR
globicephala melaena
La taille moyenne des mâles atteint 5 à 6 m, pour 3 800 kg; les femelles plus petites mesurent 4,80 m environ pour 1 800 kg. On le trouve sur la plus grande partie des océans des deux hémisphères. C'est une espèce typiquement grégaire : les groupes varient de 6 à 50 individus, mais peuvent atteindre plusieurs centaines d'animaux. Le troupeau suit aveuglément les grands mâles, ce qui en-traî-

traîne parfois l'échouage de troupeaux entiers. Des échouages, provoqués par le rabattage sont pratiqués aux îles Féroë et à Terre-Neuve.

GLOBICÉPHALE TROPICAL
globicephala macrophincus
Ce globicéphale dont la taille varie de 4 à 5 m se trouve dans toutes les eaux chaudes des océans. Son comportement est à peu près identique à celui du globicéphale noir.

MARSOUIN - *phocoeena-phocoeena*
Les marsouins ont une taille de 1,50 m environ, ce qui en fait le plus petit cétacé d'Europe. Il vit en permance près des côtes et remonte parfois les fleuves sur plusieurs dizaines de kilomètres : jadis des marsouins ont été observés dans la Seine jusqu'à Paris. Le marsouin nage assez lentement et se montre très timide vis à vis des bateaux. Les femelles s'accouplent très jeunes (dès 14 mois), en revanche les mâles doivent attendre l'âge de 3 ans .

ORQUE - *orcinus orca*
L'Orque, ou épaulard, attaque tous les animaux marins, les plus petits exceptés. Il s'attaque même à d'autres grands cétacés. Il peut atteindre 9 m pour 6 tonnes et sa nageoire dorsale triangulaire avoisine 2 m. Il navigue dans tous les océans, fréquentant même les eaux côtières et les estuaires. Leurs migrations semblent avoir pour unique raison l'alimentation.

CACHALOT - *physeter macrocephalus*
Il peut atteindre 18 m et peser 36 tonnes (les femelles, plus petites mesurent environ 11 m pour 20 tonnes) : c'est le plus grand cétacé à dents. Il vit dans tous les océans, plus particulièrement aux abords des grandes fosses océaniques. En hiver les mâles rejoignent les femelles et les plus gros d'entre eux se livrent à de furieux combats afin de se constituer un harem de 10 à 20 femelles. La multitude des cachalots (1,5 millions au début du XIXe siècle) et leur grande valeur marchande (chaque cachalot fournissait 10 000 litres d'huile) sont à l'origine de l'âge d'or de la baleine aux Etats-Unis.

3

Où l'on découvre,
à travers des fiches d'observations
soigneusement relevées par les enfants eux-mêmes,
l'étonnant comportement de ces géants des mers.

FLEUR DE LAMPAUL 1989 -1990

N° 26	DATE 25/03	HEURE D'OBSERVATION : de 11 à	12h20

Mer : calme	Force : 1 à 1	Profondeur : 989 m	Température :

ESPÈCE : globicéphales Tropicaux
globicéphala macrorhinchus

COMPORTEMENT : Ils étaient très énervés et sautaient souvent hors de l'eau.
On leur coupaient la route avec "la Fleur" et on sautaient devant eux.

APPROCHE : Il faut leur couper la route, mais le meilleur moyen est d'arriver face à eux, car dans ce cas là, il fonce sur nous et au dernier moment dévie.
Le zodiac les faient sonder.
Ils sont faciles à approcher avec la Fleur, on peut supposer qu'ils ne la voient pas ou ne l'entendent pas car ils dévient très près lorsqu'ils foncent droit devant nous.

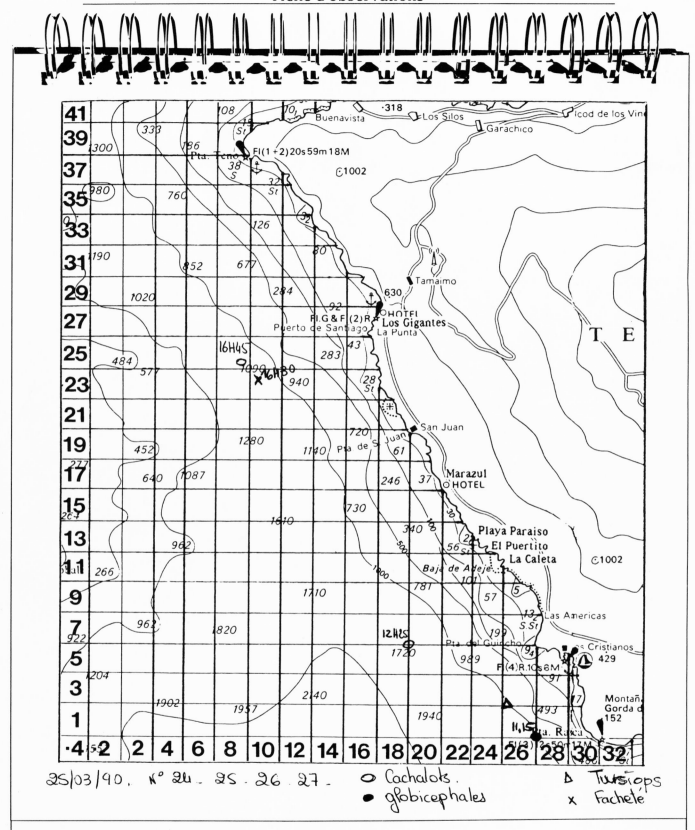

25/03/90. N° 24 - 25 - 26 - 27 -   ○ Cachalots.   △ Tursiops
                                      ● globicephales   × Faché té

NOTES :

- une enorme bulle dans l'eau ≈ 2 m de diamètre

- On a vu un bébé qui venait de naître parce qu'il était très clair et avait des plis au niveau du corps.

4

*Où l'on découvre
que la baleine fut un monstre
avant d'être un chef-d'œuvre en péril et
une source d'huile que l'on croyait inépuisable
avant de devenir une source
de divisions et une pomme de discorde!
... avatars du mythe!*

La taille gigantesque des baleines a toujours fasciné les hommes. Depuis la nuit des temps, leur mode de vie a fait naître les mythes et les légendes les plus fantastiques. Et sous le mot de «baleine» se sont cachés pendant des siècles le mystère, l'extraordinaire ou la terreur. Il faut attendre le XVIe siècle et la renaissance des sciences pour que les hommes reconnaissent la vraie nature des cétacés. Jusqu'alors les hypothèses, les observations, les récits fantastiques se confondent...

Le premier de tous ces récits se trouve dans la Bible. C'est la célèbre histoire de Jonas, jeté à la mer par les marins pour calmer la tempête qui fait rage et menace de détruire le bateau. Jonas est avalé par une baleine qui le régurgite trois jours plus tard sur la terre ferme. Mais dans la Bible ne figure pas le mot «baleine». On y lit seulement : «Dieu avait créé un *grand poisson* pour avaler Jonas...».

La Bible et Pline l'Ancien nous parlent déjà de ces grands animaux.

Un autre animal biblique qui était certainement une baleine est le Léviathan, animal gigantesque qui «fait bouillonner les abysses comme une chaudière...».

Le psaume CIV, 25-26 le décrit ainsi : «Voici la mer grande et vaste dans

laquelle rampent les créatures innombrables, tant grandes que petites. Là voguent les navires : là se trouve le Léviathan, que Tu as fait pour jouer au sein des eaux.»

Pline l'Ancien, qui voyagea au Ier siècle jusqu'en Afrique du Nord, nous a laissé une fabuleuse *Histoire naturelle*. Il y explique que la mer est si grande et si illimitée que «ce n'est pas étonnant si on y trouve tant de créatures étranges et monstrueuses». Et Pline ajoute que dans l'«océan des Gaules», on a découvert «un énorme poisson appelé *physeter* ("souffleur" en grec, ancien nom du cachalot) émergeant de la mer à la façon d'une colonne ou d'un pilier, plus haut même que les voiles d'un bateau; et alors, il faisait jaillir, et envoyait haut en l'air, une quantité considérable d'eau, comme si elle sortait d'un tuyau...»

Presque tout ce qui a été écrit sur les cétacés au Moyen Age provient de textes scandinaves et islandais. Le principal de ces textes s'appelle le *Speculum Regale* et date du milieu du XIIIe siècle.

Le *Speculum Regale* décrit diverses espèces de cétacés vivant dans les mers autour de l'Islande. D'après ce texte, les orques «ont des dents comme celles des chiens» et ils sont aussi agressifs envers les autres cés que le sont les chiens envers les autres animaux terrestres. Les orques s'assemblent donc et attaquent les grosses baleines. Et, chaque fois qu'ils trouvent une baleine isolée, ils l'épuisent en la mordant jusqu'à ce qu'elle en meure, «bien qu'avant de mourir elle puisse tuer un grand nombre d'attaquants de son souffle puissant». *Le Speculum Regale* établit que la tête de la baleine franche de l'Atlantique est si grande qu'elle représente le tiers du corps tout entier. Il donne une description remarquable de ses mœurs et il ajoute : «Mais ce poisson se nourrit proprement car on dit qu'il ne mange aucune nourriture, si ce n'est l'obscurité et la pluie qui tombe sur la mer. Et quand il est pris et qu'on ouvre son intestin, on ne trouve rien de sale dans son estomac, comme il en est chez les autres poissons, car son estomac est propre et vide. Il ne peut pas ouvrir facilement la bouche, parce que les fanons qui s'y trouvent se dressent dans sa bouche quand elle est ouverte et

provoquent souvent sa mort, parce que alors il ne peut plus refermer la bouche. Il ne s'attaque pas aux bateaux; il n'a pas de dents; c'est un poisson gras et comestible».

Le *Speculum Regale* donne des descriptions de quelques monstres terribles parmi les cétacés, qui détruisent les navires et les hommes. Ils portent alors des noms bizarres : «cheval-baleine», «cochon-baleine», ou «baleine-rouge». Mais des espèces bien connues tels le cachalot ou le narval y figurent également. Ces monstres sont féroces et cruels. «Ils ne sont jamais repus de leurs tueries alors qu'ils parcourent les océans en tous sens à la recherche des navires. Ils bondissent dans l'air de telle sorte qu'ils peuvent se déplacer facilement, faire sombrer les navires et les détruire totalement. Ces poissons ne sont pas comestibles, mais sont au contraire destinés à être l'ennemi de l'humanité!»

Néanmoins, le *Speculum Regale* cite aussi les exemples de «bons cétacés». Parmi ces derniers, le «conduc-

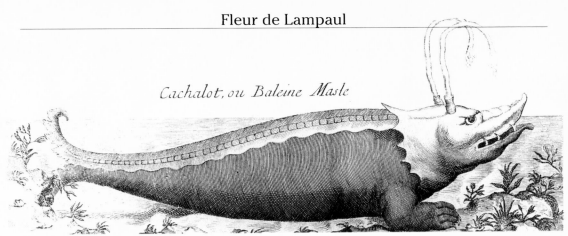

Cachalot, ou Baleine Masle

teur de poissons» est particulièrement utile aux pêcheurs parce qu'il
pousse les harengs et toutes sortes
d'autres poissons depuis la pleine
mer jusqu'au rivage. Ce qui est encore plus remarquable, ajoute le *Speculum Regale*, c'est que, poussant
vers eux tous ces poissons, il
épargne navires et hommes, «comme
si Dieu avait décidé qu'il en serait
ainsi aussi longtemps que les
pêcheurs se comporteraient de
façon pacifique; mais qu'ils se que-
rellent et se battent au point de ver-
ser le sang, le cétacé s'en aperçoit et
bloque la voie vers le rivage, poussant tous les poissons vers le large».

«Baleine du diable» ou baleine inspi-
rée par Dieu, les Islandais et les Irlandais ne partagent pas les même
croyances.

Au Moyen Age, les marins islandais
éprouvent une grande crainte pour
ce qu'ils appellent les «baleines du
diable». Il est même dangereux de
prononcer leur nom en mer : si l'on
en parle, elle s'approchent du bateau

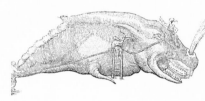

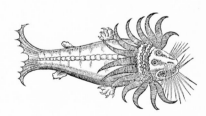

et essaient de le détruire... Le nom
de «baleine» est donc tabou, et tout
marin qui se rend coupable de le prononcer est privé de nourriture. Alors,
lorsqu'ils veulent évoquer les cétacés en mer, les hommes les dési-
gnent sous le nom de «grands
poissons».
Les Islandais pensent d'ailleurs que
certains d'entre eux sont friands de
chair humaine et qu'ils s'attardent
une année entière à l'endroit où ils
ont trouvé une telle nourriture. Ils
évitent donc les hauts-fonds où des
baleines ont déjà coulé des navires.
On trouve dans les folklores de nombreux pays des histoires de marins
prenant par erreur une baleine
endormie pour une île; la baleine se
réveille et plonge, noyant les
hommes. C'est exactement la légende de saint Brendan, l'abbé béné-
dictin irlandais qui, en 565, fait voile
vers l'ouest sur l'océan Atlantique, à
la recherche de la Terre sainte. Au
cours de son voyage, il débarque
avec ses hommes sur le dos d'une
immense baleine. Le saint homme y
installe tranquillement un autel

Baleine Femelle

et célèbre une messe. Mais il ne subit pas les conséquences tragiques de son erreur, et la baleine le laisse finir sa messe.

Au Japon, on célèbre un service religieux pour les âmes des baleines mortes et pour leurs petits.

Dans la mer du Japon, au large des côtes occidentales, se trouve une île appelée Seikai-to; là, dans un temple bouddhique de la ville de Kayoiura, on dit encore aujourd'hui une prière pour le repos des âmes des baleines tuées par les chasseurs. Ce service religieux commence le 29 avril et dure cinq jours. Et cela, depuis 1679! Dans les fondations de ce temple se trouve un reliquaire appelé

seigetsuan, près duquel se dressent un tombeau et un monument de granit de 2,20 m de haut. Autrefois, les embryons de baleineau pris dans le ventre des mères en cours de dépeçage étaient portés là et brûlés, enveloppés de nattes de paille. Les pêcheurs, émus par l'affection profonde que manifestent les mères baleines pour leurs petits, avaient en effet demandé qu'un tombeau leur soit construit et un service religieux spécialement consacré. Ils faisaient des offrandes de grande valeur, et les moines chantaient aussi sérieusement et avec autant de sentiment que pour des humains. On tenait un registre nécrologique où l'on notait, avec la date exacte de capture, chaque baleine enterrée, après qu'on

lui eut donné un nom bouddhique posthume.

Après avoir vu les baleines s'échouer sur les côtes, les hommes se sont mis à les poursuivre.

La chasse à la baleine est pratiquée depuis très longtemps par des peuples aussi variés que les Esquimaux, les Norvégiens, les Indiens d'Amérique du Nord, les Basques ou les Japonais.

Après la découverte d'une dent de cachalot dans le gisement paléolithique de Bedeilhac (Ariège), on s'est demandé si déjà à l'époque préhistorique les habitants des côtes ne chassaient pas les baleines. On pense en réalité que les tout premiers «consommateurs» de baleines n'étaient pas des chasseurs : ils se contentaient de récupérer les baleines échouées sur les plages. La technologie de l'époque, en effet, ignorait le fer et ne permettait pas de fabriquer les lignes. Pourtant, on

peut supposer que, comme les habitants des îles Aléoutiennes ou les Esquimaux du Groenland, ces populations ont découvert la technique consistant à enduire de poison un petit harpon taillé dans une défense de morse, à le planter dans la bête et à le suivre jusqu'à ce qu'elle expire. Au début du Moyen Age, les Norvégiens traquent les petites baleines en les rabattant sur le rivage : bloquées dans d'étroits fjords, elles sont ensuite achevées à la lance par les chasseurs. Cette technique – rabattage puis mise à mort – s'appelle le *grind*. Mais il arrive que parmi la quantité de baleines rabattues certaines s'échappent. Alors, on les poursuit en mer. C'est ainsi que commence l'histoire de la chasse à la baleine.

Yves Cohat
Vie et mort des baleines
Découverte Gallimard, 1986.

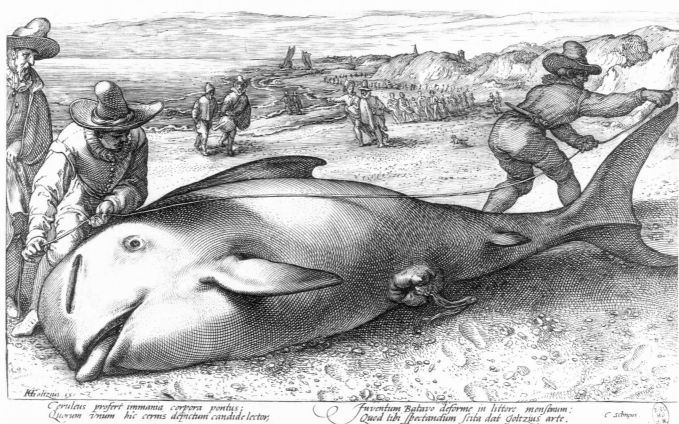

Ceruleus profert immania corpora pontus;
Quorum vnum hic cernis depictum candide lector,

Inventum Batavo deforme in littore monstrum:
Quod tibi spectandum scita dat Goltzius arte.

C schnepus

5

*Etre globicéphale
aux Iles Féroé... Où l'on s'aperçoit
qu'il ne suffit pas d'être doux,
innocent, confiant et sans défenses pour
échapper à un massacre !*

Chaque année quelques 3 000 globicéphales sont massacrés aux Iles Féroé dans des conditions horribles. François-Xavier Pelletier, photo-journaliste, réalisateur et écrivain spécialisé dans les relations hommes/mammifères marins se mobilise. Il crée l'association Globi pour faire cesser cette chasse. Depuis plus de 15 ans, il navigue et plonge dans toutes les mers du monde pour faire connaître ses amis Jean-Louis, Yotsa, Koutta et les autres, autant de dauphins fabuleux qui lui ont témoigné tant d'amitié qu'il met toute son énergie pour l'arrêt immédiat de cette tuerie.

«On n'y peut rien, c'est la tradition...» prétendent les chasseurs. Elle a bon dos la tradition ! S'il est vrai que les

premières mentions de captures de globicéphales datent de 1584, les Iles Féroé ont été jusqu'à la fin du XIXe siècle un pays d'agriculteurs. Il aura fallu attendre le début du siècle et plus particulièrement les vingt dernières années pour voir le pays se tourner vers la mer et développer sa pêche. Tous les Féringiens s'entendent pour dire qu'ils ont mis leurs traditions au pilori. Les chasseurs de globicéphales n'ont pas résisté à la tentation. Les canots à moteur ont remplacé les barques à rames, les radio-téléphones rendent inutiles les messagers ou les feux pour signaler l'arrivée d'un *grind*. Les pierres jetées dans l'eau pour effrayer les cétacés relèvent du folklore. Les sonars à fréquences déployées et les

puissants moteurs sont diablement plus efficaces. Les Féringiens semblent ignorer qu'ils restent les seuls à pratiquer encore cette chasse barbare. L'Islande, les Iles Shetland et Orkney ont su s'arrêter. Ils n'ont pas voulu continuer à justifier par la tradition ce que les psychiatres appellent le *grindepsykose*.

Le premier règlement de la chasse a été rédigé en 1832. De nos jours, «l'act» décrète l'omnipotence des *grindformen* qui doivent porter un mégaphone pour transmettre les ordres. Un shériff peut faire arrêter la chasse si le groupe de globicéphales est trop important. Avant le dépeçage la tête des cétacés doit rester au-dessus de l'eau à marée haute pour qu'ils ne soient pas emportés.

Après les restes doivent être nettoyés et jetés dans les 24 heures. Ça, c'est la théorie.

Au cours de la chasse que j'ai filmée, les *grindformen* n'arrivaient pas à se faire entendre des chasseurs qui guerroyaient à coup de bateaux surpuissants, de caisses de bière, de croix gammées peintes dans le dos et de *grindepsykose*. Leur code de l'honneur exige de massacrer tous les globicéphales qui ont le malheur de montrer le bout de leur nageoire dorsale. J'ai découvert avec horreur, trois jours plus tard, les carcasses et une grande partie de la viande qui pourrissaient sur le quai sans que nul ne s'en inquiète. Ce ne sont que des détails, me direz-vous, mais la suite est plus grave. En 1985 sous la

pression des protecteurs de la nature, une nouvelle législation impose la limitation des crochets et l'obligation de tuer vite et mieux. Quelques mois plus tard, un *killing* dure quatre heures.

Le 12 mai 1986, une nouvelle réglementation interdit la capture des petits cétacés. Le 12 septembre 1986, 23 dauphins sont tués, fin septembre c'est le tour de 138 lagénorhynques à flancs blancs puis de 11 marsouins. Bien qu'ils soient en voie de disparition, les hyperodons ou baleines à bec continuent à être exterminés aux Iles Féroé. À la suite d'un massacre odieux en 1986 la baie de Vestamana est fermée. Le 15 novembre suivant, 139 globicéphales y sont tués dans des conditions atroces.

Les anciens prétendent que le *drive* et le *kill* demandent une coopération et une organisation sociale rigoureuses. Ce sont les mêmes qui avouent les fréquentes irrégularités dans le *drive*, le *kill* ou même le partage. Ils disent l'efficacité en déclin, le contrôle social en dissolution, le rôle du *grindforman* en perdition, les vols de globicéphales d'usage courant. Mais ils passent sous silence les grossières erreurs statistiques. 10 % environ des globicéphales capturés ne sont pas répertoriés. À Leynar en juillet 1983 sur 400 victimes, 273 ont été enregistrées et 127 laissées à l'abandon.

Aucun représentant de l'ordre ne peut aujourd'hui contrôler la chasse. Grâce au réseau routier et au parc automobile impressionnants, les badauds sont nombreux sur la plage et gênent le bon déroulement de l'échouage des cétacés. Sous l'emprise d'une hystérie collective, les chasseurs s'attaquent à tout porteur de caméra. Kartan Hoydal, le directeur des pêches s'en est offusqué et a ordonné que ces regrettables incidents ne soient pas renouvelés. Quelques mois plus tard mon bateau est coulé, les quatre roues de ma voiture crevées, mon matériel photo et cinéma saisis et ma vie menacée... Décidément, les Féringiens ne sont pas fiers de leur tradition.

La cruauté :

Et ils ont raison. Ils désirent être le pays de la non violence, de l'hospitalité. Ils en sont dignes à bien des égards. Mais poursuivre des animaux sans défense à coup de sonar, les égorger dans une mare de sang malgré leurs plaintes et leurs gémissements n'est pas vraiment à la hauteur de leurs aspirations.

D'abord le bruit. L'environnement sensitif des cétacés est avant tout un univers sonore d'ultra-sons. La violence acoustique d'un sonar leur fait subir le même stress qu'à une population humaine en plein bombardement.

Les raisons de cette contamination sont doubles. La première vient de la pollution domestique et industrielle pourtant faible aux Féroé. La seconde vient, je pense, du voisinage du rift, cette plaque tectonique sous-marine qui produit à haute dose du mercure naturel. Le globicéphale des Féroé qui croise toute l'année dans cette région atteint ainsi un degré de contamination trop élevé pour l'homme. Sans le vouloir, le globicéphale menace l'homme sans jamais l'attaquer. Les accidents au cours de chasse sont rares. Tout le monde parle encore de la catastrophe de Sandvik à Suduroy... il y a 60 ans. La mer était mauvaise et 14 chasseurs sont morts noyés... Ils ne savaient pas nager ! Mais l'homme quant à lui condamne sciemment les globicéphales. En 1941, 4 325 cétacés ont été massacrés. Aujourd'hui, ils deviennent de plus en plus petits en nombre et en taille. Pourtant les captures ont triplé en l'espace de huit ans. Les bateaux à moteur permettent un *drive* beaucoup plus lointain, jusqu'à 10 milles de la côte. La zone des 200 milles et le développement de la pêche locale (45% de la production en merlan bleu, colin et morue) intensifient les reconnaissances.

«Peu importe» prétend le gouvernement, «nous ne prélevons que 2% du stock mondial des petits cétacés». Il oublie que les Féringiens ne sont qu'une poignée de 46 000 habitants.

L'éthique :

Les Féringiens peuvent-ils tuer sans vergogne des animaux qui naviguent dans les eaux internationales et qui constituent un équilibre marin encore difficile à quantifier. Un groupe de scientifiques, dont une Française, est payé par le gouvernement féringien pour faire des recherches «en vue d'aboutir éventuellement à une gestion rationnelle de cette chasse». En d'autres termes, c'est vouloir continuer à chasser sous couvert d'un programme scientifique. Le fait est déjà connu pour les baleines. Comment peuvent-ils expliquer qu'en faisant des prélèvements du sang, des dents, des marques extérieures, des fœtus, des gonades, des contenus stomachaux, des parasites, ils peuvent déterminer si l'espèce est en danger ou pas ? Certes, ils pourront écrire des rapports étoffés mais sans application. En 1986/1987, ils ont travaillé sur 2196 spécimens les mains dans le sang, au propre comme au figuré. N'écrit-elle pas : «il est évident (en parlant de la chasse) qu'elle a perdu aujourd'hui son caractère de nécessité...» mais elle ajoute : «la vie de chacun des individus d'une espèce compte lorsque celle-ci est menacée de disparition. Ce n'est pas actuellement le cas du globicéphale noir aux Féroé».

Je trouve cette remarque monstrueuse pour deux raisons. Primo, scientifiquement, elle est incapable de

prouver que le globicéphale n'est pas menacé car nul n'en sait rien. Secundo, peut-on se permettre de massacrer un animal sous prétexte qu'il n'est pas en voie de disparition? Dans ce cas, prenez vos fusils et entretuez-vous car l'homme est encore en grand nombre sur notre planète... Et contrairement à ce qu'affirment les partisans de cette chasse, tuer un animal n'a jamais rendu végétarien et vice versa.

Les Féringiens devraient comprendre qu'ils ont aussi une image à soigner, surtout en Europe, s'ils veulent garder leurs distances. Ils ne doivent pas oublier qu'ils dépendent de leur état souverain, le Danemark, qui est aussi responsable de leurs relations avec l'étranger. Et ça, c'est une autre paire de manches...

L'association Globi veut faire cesser cette chasse inutile et cruelle:

- En faisant connaître au grand public cette pratique barbare afin qu'une vague de protestations submerge les chasseurs.

- En diffusant la pétition qui a déjà recueilli plus de 400 000 signatures, lettres et dessins d'enfants.

- En négociant avec les autorités féringiennes et danoises pour l'arrêt immédiat et définitif de cette chasse.

- En demandant au Parlement Européen la création d'une loi de protection des mammifères marins en Europe.

François-Xavier Pelletier

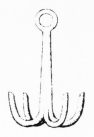

Où l'on retrouve une dernière fois la mission
de la Fleur *: une aventure utile.*
... Et puis un jour les enfants sont rentrés au port en disant
qu'ils avaient joué avec des globicéphales,
qu'ils avaient plongé au milieu des dauphins, que les orques
étaient venus les saluer... Alors les gens
des ports se sont demandé ce qu'ils devaient changer dans
leur façon de pêcher au filet pour épargner
les compagnons de leurs enfants : globis, dauphins ou
orques, tous ces témoins d'un paradis perdu
que la Fleur de Lampaul *nous a fait un instant retrouver,*
ces images de rêve
qui nous font croire à l'impossible !

Équipage de l'expédition 1987-1988 :
Nedjma Berder, Yves Delhumeau, Hervé Drouet, Charles Hervé-Gruyer, Moana Hugonot,
Claudine Lemoigne, Frédéric Maury, Jean-Michel Maillot, Fabrice Vauclair.

Équipage de l'expédition 1989-1990 :
Gaëlle Andrieux, Solen Bel, Nedjma Berder, Maogan Dejours, Charles Hervé-Gruyer, Anne Langlais,
Joël Leaute, Pascal Normant, Alice Pastore, Nathalie Pinson, Moustapha Salhi, Geraldine Vergnes.

Fleur de Lampaul ne naviguerait pas sans le soutien actif et désintéressé de tant de gens.
Ils sont beaucoup trop nombreux pour être tous cités ici, que ceux qui ne le sont pas nous en excusent
et sachent qu'ils ne sont pas oubliés, particulièrement ceux qui ont participé à la restauration
et les membres de l'association Le Taillevent.
L'équipage de *Fleur de Lampaul* remercie :
Jo et Philippe Andrieux, Jorge Alves, Gilles et Huguette Ansart, Christine Basle,
François et Perrine Bescond, Alain Blanchet, Denis Blanquet, Dominique et Hervé Bodin, Jean-Paul Boulan,
Christine Boule, Delphine Bolleret, Caroline et Gille Bonis, Bernard Cadoret, Daniel Cardron, Nicolas Cherton,
Anne Collet, Claude Colnard, Antoine Cousin, Isabelle Daveau, Yves Delhumeau, Bernard de Ravignan,
Hervé Desplanches, Raymond Duguy, Jean-Pierre Dupont, Jean et Annick Drouet,
Frédérique Dyèvre, Philippe Foucher, Michel Gallois, Isabelle Gallois, Henri et Annie Gendron,
Jim et Sarah Heimlich-Boran, Jean-Olivier Heron, Catherine Joulain, Henri Kerisit, Henri Laidin,
Jean-Baptiste Lamer, Véronique Laudre, François Le Blanc Michelle et Stéphane Le Gall, Nicole Le Gall,
Félix et Nicole Le Garrec, Yves Le Guen, Fabrice Le Meud, Marie et Audouin Maggiar,
Jacques Maigret, Yves Milza, Christian Moyre, Charlot Niccolini, Agnès Peiffer, Bertrand Perin, René Petitot,
Christian Poiraud, Eleuterio Reis, Pierre Ribes, Monique Roy, Michel Royer, Mireille Saltron, Marc Tourneux,
Jean-François Tremeau, Henri Turbe, Hugo Verlomme, René Vivier.

L'association Le Taillevent tient aussi à remercier vivement les organismes et entreprises suivants
pour leur soutien et leur collaboration :
LA RÉGION DES PAYS DE LOIRE, LE CONSEIL GÉNÉRAL DE VENDÉE, LE MINISTERE DE LA CULTURE
ET LA DIRECTION DES AFFAIRES CULTURELLES DES PAYS DE LOIRE, GALLIMARD-JEUNESSE, LE CHASSE-MARÉE,
RADIO FRANCE INTERNATIONALE, RADIO FRANCE ET LE FIGARO MAGAZINE, L'ATELIER RÉGIONAL CINÉMATOGRAPHIQUE
DE BRETAGNE, LES VILLES DE PORT-LOUIS, NOIRMOUTIER ET L'ILE D'YEU.

Ainsi que : Accastillage Diffusion Nantes, l'Agence Mijo Pillet, les Champagnes Barrancourt,
les Moteurs Beaudouin, Bravo Ile d'Yeu, les Laboratoires Boiron, le Centre National d'Etude des Mammifères
Marins, le Crédit Industriel de l'Ouest, le Crédit Agricole de l'Ile d'Yeu, les produits Durieux,
les Enceintes Cerwin-Vega, la Fondation C.C.M.C., la Fondation Ushuaïa, Hypercut, Konica, Marrollaud,
le Musée Océanographique de Monaco, Oya Hélicoptère, Ouest-France, O.T.V., Pen-Lann,
Pyramidal, la Région Autonome de Madère, Stéphan, la S.N.S.M.

Enfin, signalons les rapports amicaux et constructifs que nous entretenons avec beaucoup de plaisir,
avec les associations suivantes : la Fédération Régionale pour la Culture Maritime,
l'Ecole en Bateau, la Baleine Blanche, l'Arbre Voyageur, Vivre en Mer - l'Emigrant,
les Gabiers de Misaine, l'André-Yvette.

Association Globi B.P. 3 - 17700 Saint-Saturnin-du-Bois
Tel : (16).46.51.04.19 – Fax : (16). 46. 51.04.84